DE ZWAARDVIS

Dit Boekenweekgeschenk wordt u aangeboden
door uw boekverkoper.

Hugo Claus
De zwaardvis

Een uitgave van
de Stichting Collectieve Propaganda
van het Nederlandse Boek
ter gelegenheid van de Boekenweek 1989

Voor Oscar
met mijn dank voor zijn
Italiaans Concert

De zwaardvis werd door uitgeverij De Bezige Bij
geproduceerd voor de Stichting Collectieve Propaganda
van het Nederlandse Boek in het kader van de
Boekenweek 1989.

Omslag Leendert Stofbergen / Hugo Claus
© Hugo Claus 1989 c/o Beeldrecht, Amsterdam.
Foto © Geert Kooiman
Zet-, druk- en bindwerk Van Boekhoven-Bosch bv Utrecht
ISBN 90 70066 74 2

Hoe zal het zijn wanneer de zwaardvis nadert
in 't wassend water der barbaarse dromen?

MAURICE GILLIAMS

SIBYLLE VERHEGGE, die acht maanden geleden nog Sibylle Ghyselen heette, zit in haar bikini in een ligstoel op het terras haar teennagels parelmoer te lakken. Hommels zoemen om haar heen, aangelokt door de zoete zonnebrandolie. Haar moeder vindt dat zij een nieuw leven moet beginnen, in een grote stad, en de kwalijke periode van haar huwelijk en haar leven op het platteland moet vergeten. Sibylle heeft een vaag idee van wat het huis waard is, maar hoeveel kost landbouwgrond hier de vierkante meter, en hoeveel vierkante meter is er ook weer?

'Hoe groot is ons domein?' heeft zij ooit gevraagd aan Gerard, die met hun zoontje Maarten, zeven maanden oud, een gorgelend, verschrompeld en toch vet ventje, op zijn schoot zat te spelen. Gerard legde het kind zwijgend terug in de wieg, hij had het vertrouwde bittere trekje rond zijn liploze mond, weer dacht hij dat zij hem uitlachte, weer dacht hij wat hij de laatste tijd een paar keer uitgesproken had: 'De kruik gaat zo lang te water...'

'Domein?' zei hij toen, dwars door het gebrul van het kind. Jaren geleden.

'Terrein, bedoel ik.'

'Zeg dan terrein.'

'Hoe groot is ons terrein?' en dat viel ook verkeerd want zij had natuurlijk moeten weten hoeveel vierkante meter, want zij was erbij geweest toen het bepaald werd door de landmeter, en Gerard wijdbeens, minder kaal maar even slank als toen hij zoveel jaar later het huis verliet, door het koren liep naast de getaande dwerg van een boer die het terrein verkocht. Gerard telde hardop terwijl hij door het landschap beende, onwennig, elegant, niet in het landschap opgenomen zoals Maarten nu, die met planken sjouwt in de boomgaard.

Gerard wandelde later nooit meer door het landschap, tenzij met zakenvrienden die in hun maatpakken en dure schoenen achter hem aan liepen, terwijl hij vergezichten aanwees en het langst bleef wijzen naar een immense linde langs de weg die hij 'mijn boom' noemde.

In de gemeenteraad was beslist dat de linde omgehakt zou worden omdat hij te veel schaduw wierp over het veld van de gemeentesecretaris die bovendien moeite had om daar zijn tractor te keren, maar Gerard had de burgemeester kunnen overreden om de reus in leven te houden, zei hij. Hij had de burgemeester natuurlijk geld toegestopt, veel te veel, maar dat had hij ervoor over. Als hij maar zeggen kon: 'Mijn linde, mijn terrein, mijn zeepziederij, mijn firma Olympia, mijn meststoffen, mijn vogeldodende chemicaliën, mijn vrouw Sibylle die ik om een onnozel misverstand in de steek zal laten, mijn zoontje Maarten met zijn lang, woest haar en amberen blik.'

Achttienduizend vierkante meter? Is grond van een groene zone nu duurder of goedkoper omdat men er geen villa's mag bouwen? Zij mist Gerard op dergelijke ogenblikken, zijn gevoel voor precisie, orde, snelle beslissingen, zijn enthousiasme. De zakenvrienden dronken whisky op het terras, bewonderden de boomgaard waarna Gerard onvermijdelijk riep: 'Hier is Christus nog niet voorbijgekomen.'

Sibylle had de uitdrukking pittoresk gevonden, wortelend in Middeleeuwse spreuken, tot zij ontdekte dat het de titel van een Italiaanse film was.

Een van de redenen waarom haar moeder vindt dat zij hier weg moet is dat Maarten niet mag aarden op de dorpsschool. 'Hij wordt elke dag meer en meer een lompe boer,' zegt haar moeder.

Sibylle komt er niet achter of Maarten het naar zijn zin heeft op de dorpsschool. De laatste weken bij voorbeeld is hij uiterst zenuwachtig. Hij wil per se op tijd op school zijn.

Wat zou het huis waard zijn? Geeft men er zoveel meer voor omdat de tegels in de woonkamer van zwart arduin zijn, omdat een panoramisch raam uitziet op de boomgaard en de velden, omdat de open haard buitenmaats is en gekopieerd naar die van een typisch Brabantse hoeve? Gerard wou die open haard. Zijzelf vindt het nutteloze, gapende gat in haar woonkamer, zwartberookt, leeg, met de bestofte tenen mand vol houtblokken, onrustwekkend, onveilig. Omdat het iets is dat maar af en toe halfhartig diende? Net als zij?

'Mijn huwelijk is een miskoop geweest,' zei zij laatst tegen haar moeder, die dit al te graag hoorde. 'Ik had een man moeten hebben die kan relativeren. Die niet alles wat ik zeg letterlijk neemt, die als ik iets goed bedoel maar verkeerd uitspreek niet meteen beledigd is, die een spelletje kan verdragen, zodat ik niet aldoor moet smeken: vergeef me toch, het spijt me, maar ik bedoel het anders...'

Die open haard. 'Mijn open haard. Mijn biljartkamer, mijn plataan in het grasperk voor de gevel!' Wat moest een man van enige status ook weer verrichten tijdens zijn leven? Een zoon verwekken, een boom planten en nog iets, wat was het derde? Een wijnkelder aanleggen? Ik begin meer en meer te vergeten. Iedereen merkt het, niemand zegt er mij iets over. Wat zeggen ze onder elkaar? 'Sibylle Ghyselen wordt vet, vadsig, loom, inert, zij vergeet alles, dat krijg je als je alleen bent, alleen wilt zijn, alleen moet zijn.'

Een advertentie zetten. 'Gerestaureerde villa, nee,

landhuis, met rustieke, landelijke charme, twee badkamers in marmer, dubbele beglazing, vol tapijt, grote haard, wijde haard, open haard. Eigen waterbron. Bron met eigen water.'

Je kunt het plenzen van de bron horen op het terras. Als je er een Coca-Colaflesje onder houdt is het meteen vol. IJskoud water dat gutst in de groenbemoste oude stenen put tussen de bamboestruiken.

Volgens Sibylles moeder een bron van inkomsten. Verleden week zei haar moeder in de keuken dat het zonde was dat die eeuwig-stromende waterval niets opbracht, je zou een nieuwe Spa op de markt kunnen brengen als je zorgde voor een mirakel.

'Wat voor een mirakel?' zei Maarten fel.

'Als een paar jongens op school eens zouden roepen dat er een heilige verschenen is bij onze bron.'

'Welke heilige, Oma?'

'Om het even welke. Waarom niet de heilige Maarten? Die bestaat toch?'

Sibylle ving de ongemeen dreigende blik op die Maarten op zijn grootmoeder richtte, een blik van weerzin en woede.

'Wat scheelt er, Maarten?'

'Niets, Mama.'

Haar moeder merkte niets natuurlijk, kwekte verder: 'Maarten, zou je het niet plezierig vinden als er een water naar jou genoemd werd? Het Sint Maarten-water, met bubbeltjes.'

'Plezierig!' schreeuwde de jongen, werd hoogrood en rende weg, zoals gewoonlijk de boomgaard in, waar hij molenwiekte met zijn plastic zwaard en tegen de zilverberken sloeg.

Advertentie. De notaris opbellen. Weg wezen. Misschien heeft mijn moeder toch gelijk. Het platteland is voor de koeien.

De zon schijnt nu pal in haar gezicht, de zonnebrandolie bereikt haar wimpers. De parasol verplaatsen. Het lijkt haar even moeilijk, onuitvoerbaar als de badkamer opruimen, onkruid wieden, hout hakken voor de verdoemde open haard, het strodak repareren zoals Richard nu doet, schrijlings op de nok van de schuur. Hij werkt niet, hij houdt zich vast aan de smeedijzeren windhaan.

('Ik wil geen rieten dak, Gerard.'

'Maar poesje, iedereen, alle schuren uit de omtrek hebben een rieten dak.'

'Ik wil stro, echt stro zoals het vroeger was.'

Hij mompelde iets over de veel hogere verzekering.

Zij verwachtte meer weerstand, hoopte erop. Maar het werd stro, een halve meter dik, gebundeld, platgewalst, een korenveld op het dak met een onaardse goudgele brand als de zon erop stond.

Een week later werd het levenloos, vaal, toen men er een produkt op spoot tegen brand. Zij voelde zich in de steek gelaten, verraden.

'Maar poesje, het moet, anders is het veel te gevaarlijk.'

'Dan is het maar gevaarlijk. Dan brandt het maar.'

Hij keek ongelovig, bitter.

'Het spijt mij,' zei zij. 'Ik bedoel, als alles opbrandt, dan hebben wij elkaar toch nog.'

'Hou je moeder voor de gek,' snauwde hij.)

Richard kan vanaf het strodak haar schouders zien die aan het verbranden zijn omdat niemand de parasol verplaatst, haar borsten in de te kleine bh, de plooien boven haar heupen, de haarkruin, waar vier, vijf, tien grijze haren opgedoken zijn.

Als Irene er was zou Sibylle nu een glas sinaasappelsap

vragen, maar de meid is naar de bruiloft van haar zuster in Waregem. Wordt vast vanavond gegrepen door een verhitte bruiloftsgast.

'O, nee, Madame, ik let goed op, het is tot hier en niet verder.'

'Tot waar, Irene?'

Irene toont met twee gestrekte poezelige vingers een grens boven haar knieën.

'Niet verder, Irene?'

'Maar Madame toch!' Hoog gegiechel.

Sibylle droomt steeds dezelfde droom over Irene die een onbekende kamer met pluchen gordijnen en wijkende wanden binnenkomt, zich achteloos uitkleedt als voor het slapen gaan in haar eigen, eenzaam eenpersoonsbedje, zij heeft ragfijn perzikkleurig ondergoed aan, zij buigt zich voorover en wacht als op een nekslag, met haar handpalmen op haar knieën, en in de spiegelkast, hoger, donkerder en met meer ornamenten dan die in Sibylles slaapkamer verschijnt een vrouw die alleen een zeer kort T-shirt draagt en rijglaarsjes, de vrouw heeft geen gezicht maar wel Sibylles overvloedig kastanjekleurig haar. De vrouw wordt overweldigd door een mateloos gevoel van deernis en vlijt zich tegen Irenes magere rug en snikt tot haar mond Irenes linkertepel vindt.

In de boomgaard vechten de schapen met elkaar, zij bijten in elkaars vacht, stoten hun schedels tegen elkaar, elke keer een droge tak die knapt. Af en toe fladdert een parelhoen op, wit en grijs gespikkeld als een flard van een boerinnenschort.

Het geitje Bokkie staat op zijn achterste poten en hapt naar twijgen van een appelboom. Maarten staat tegen Bokkie te praten, geleund op het wankele kruis van twee planken waar hij al de hele middag mee rondsjouwt.

Gisteren beweerde Richard dat Bokkie zo schichtig was omdat het voelde dat zijn dood naderde, en dat Bokkie al het slagersmes voor zijn ogen zag.

'Maar Bokkie heeft nog nooit zo'n slagersmes gezien.'

'Zijn ouders wel, Maarten.'

Maarten begreep het niet. 'Het heeft die vrees voor het mes meegekregen met zijn geboorte,' zei Richard, en Sibylle die Maarten zag piekeren riep: 'Richard, schei uit met die dwaze praat.' 'Ja, Madame,' zei Richard meteen. Starre blik van turkoois. Lokkende, lage dronkemansstem.

Sibylle transpireert nu fel, de huid van haar voorhoofd schrijnt.

Zij wacht op iemand. Op iets. Een fladdering. Een ekster die uit de staalblauwe lucht zal vallen. Zij trekt in gedachten haar smoking aan met een wit gewafeld hemd van Gerard, haar haar is strak achterovergekamd en glanst van de gel, zij onderzoekt zichzelf in de kleerkastspiegel, nodigt Irene speels uit voor een wals, verdampend verlaat haar ziel haar walsend, bespottelijk, nutteloos lijf.

Vlak onder het pannendak boven de woonkamer zijn wespen bezig een kluit, een nest te vormen, een trillerig kluwen. De haast van Gerard. In de fabrieken, op kantoor, hier in de woonkamer, in de hall, de dag dat hij afscheid nam en zich moest inhouden om niet naar zijn Porsche te hollen.

'Voorgoed?' vroeg Sibylle toen.

'Ik denk het.'

'En zomaar?' O, die betweterige, vitterige toon die ze niet uit haar stem kan weren.

'Niet zomaar, Sibylle.'

'Maar ik heb toch niets misdaan?'

'Je weet heel goed wat je gedaan hebt. Maar ik wil er geen woord meer over wisselen.'

'Maar je hebt er nog geen woord over gewisseld.'

'En dat zal ik ook niet.'

'Ben ik niet te vergeven?'

'Je kunt het ook niet helpen.'

Zei hij dat? Was het niet eerder: 'Je bent niet te helpen'?

Zij heeft toen, op het moment dat haar gezin, haar kind, haar huis, alles op het spel stond, niet aandachtig genoeg geluisterd. Gerard verveelde haar.

Maarten zegt nog iets, ernstig knikkend, tegen het geitje. Hij hijst die planken op zijn rug en sjokt verder, hij is verkleed als een oude man of een tovenaar en praat in zichzelf.

Op het grasveld, waar vannacht tien molshopen zijn ontstaan, waart de kat Pierke rond. Straks zal hij een mol naar het terras brengen, hem voor haar voeten laten vallen, het bebloede roze spitsneusje naar haar gericht.

DE COMMISSARIS bleef vastgeschroefd in zijn bureaustoel maar boog zich voorover als om de man helemaal, tot aan zijn enkels, te kunnen overzien. Lippens, de agent, gaf de man een duwtje in de rug.

'Ga daar maar zitten,' zei de commissaris, zijn hoge meisjesstem verwonderlijk licht voor zijn logge en gespierde gevaarte.

Lippens deed de handboeien af, de man merkte het amper, met gele gave tanden kauwde hij op lucht, hij stak zijn hand in zijn broekzak, waarschijnlijk om sigaretten te zoeken of een pakje tabak, Lippens haalde de hand meteen te voorschijn, een brede, dikbeaderde hand met geschramde vingers die de man toen in de richting van de commissaris stak. De man staarde naar zijn hand als om te controleren of zij niet trilde.

'Ga zitten, zeg ik.'

De commissaris had het ondoordringbare gezicht dat hij lang geleden in de politieschool had leren opzetten. Zijn vrouw had er nooit aan kunnen wennen.

Hij las een aantal gegevens voor. De man knikte zoals hij het had geleerd, hij aanvaardde alle bepalingen, alle geledingen. Hij had geen sokken aan. Er waren bloedspatjes te zien op zijn rechterenkel. De commissaris meende dat hij sissende geluidjes opving van de bebloede schoenen.

'Wij hebben alle tijd,' zei de commissaris. Het uitstervende stadje leverde weinig delinquenten op. Sedert de textielindustrie was leeggebloed trok het jonge volk naar de grote stad. Op zijn agenda stond alleen Clara, een halfdove prostituée die de buurt overlast bezorgde met haar twaalf katten en die op een uitbrander wachtte in een van de vijf cellen van het huis.

'Voldoende tijd om ons leven te beteren, mijnheer de commissaris,' zei Lippens.

De man bleef zijn mond met de gekloofde lippen en het paardegebit bewegen, hij slikte aldoor.

'Goed,' zei de commissaris, 'vertel eens.'

'Wat wilt ge weten?'

'Begin maar bij het begin.'

De man verschoof ongemakkelijk zijn voeten. Lippens leunde slordig, met zijn hand op zijn holster, tegen de wand. De klokken van de Sint Servatiuskerk begonnen te beieren. De commissaris herinnerde zich met weerzin dat hij de volgende zondag naar een soort concert moest in die kerk, dat de gouverneur werd verwacht voor het Cultuurweekend.

Het vooruitzicht erheen te moeten zonder zijn vrouw maakte hem korzelig. Zelfmedelijden stak de kop op. Hij zei: 'Gistermorgen ben je naar mevrouw Ghyselen gegaan.'

'Ik heb liever...'

'Je hebt hier niks te lieveren,' zei Lippens.

'Florent.' De commissaris wees naar de halfvolle asbak naast zijn biljartdoekgroene onderlegger. Lippens leegde de asbak door het raam.

'Mijnheer,' zei de man, 'kan ik hier geen druppelke krijgen? Ik zal het direct betalen.'

Lippens hinnikte triomfantelijk. De commissaris zei: 'Luister, ik heb geen zin om hier tot vanavond te zitten. Dus hoe eerder wij alles genoteerd hebben...' Waarom zou hij hier niet tot vanavond zitten? Toen zijn vrouw nog kon lopen gingen zij 's zondagsmiddags kaarten in de Excelsior, zijn vrouw won meestal, hij was daar trots op geweest.

'Je bent gaan werken bij mevrouw Ghyselen.'

'Voor niets,' zei de man automatisch.

'Zwart,' zei de commissaris. 'Wij zijn niet achterlijk. Maar je hoeft je daar niets van aan te trekken, dat is onze afdeling niet. Heb je daar in huis gewerkt? En wat?'

'Op het dak,' zei de man.

'De hele dag?'

'Ja, zelfs dat ik dacht dat ik nog een zonnesteek zou krijgen, ik heb een mutsje gemaakt met een handdoek.'

'Waar is die handdoek?' vroeg Lippens.

'Terug in mijn tas. Julia steekt hem altijd in mijn tas met mijn thermos en mijn boterhammen. Zij is altijd bang dat ik iets te kort ga komen.'

'Zij is bang,' herhaalde de commissaris lijzig en dacht: Hoe lang zullen we dit eindeloos gerepeteerd spelletje nog spelen, ik als welwillende vader, Lippens als heethoofd.

'Op het dak?' vroeg hij. 'Tot hoe laat?'

'Weet ik niet meer, ik was te zat, want ik moest nog opletten toen ik van de ladder kroop. Ik dacht nog, als ik val, val ik zacht op die berg stro.'

'En dan ben je daar weggegaan?'

'Ik wilde eerst nog goeiendag gaan zeggen aan Madame Sibylle, maar ze was waarschijnlijk in haar badkamer. Ik ben de kleine nog tegengekomen, maar die had weer kuren. Ik heb hem nog gezegd: 'Jongen, als ge de mijne waart sloeg ik op uw bloot gat.' Want die jongen wordt door haar en haar moeder opgevoed, dat is niet gezond.'

'Want jij weet wat gezond is,' zei Lippens onveranderlijk in die kinderachtige rol van een kwaaie agent.

'Zoveel als gij,' zei de man. 'Op zijn minst zoveel als gij.'

'Opgepast,' zei de commissaris.

'De kleine is een braaf ventje,' zei de man, 'maar hij heeft kuren, ge kunt er geen staat op maken, hij wil altijd zijn zin krijgen, zoals zij.'

'Hoezo, zoals zij? Zoals mevrouw Ghyselen? Of zoals Julia?'

'Nee,' zei de man. 'Niet als Julia. Alstublieft.' De lange gekwelde man verplaatste zich zo plots dat de stoel hevig kraakte. De man kwam half overeind. Zijn gezicht, op een halve meter van dat van zijn ondervrager, kreeg iets onderdanigs en listigs.

'Eén pilsje, mijnheer de commissaris, ik zal trakteren.'

'Het is hier geen café,' zei Lippens.

'Hoe weet je dat mevrouw Ghyselen in de badkamer was? Kon je dat zien van buiten?'

'Nee.'

'Er is een kruisje op je voorhoofd,' zei Lippens. Hij blies de scherpe rook van zijn sigaret de kamer in.

'Doe je ogen open als ik tegen je spreek,' zei de commissaris. Het klonk als een vriendelijke, tot niets verplichtende waarschuwing onder vrienden aan een kaarttafel. Hij zag de stroeve kinkel Lippens denken: onze chef is dezelfde niet meer; hij die vroeger in deze kamer gearresteerden aan hun haar trok, schoppen gaf en brulde dat hij het sop uit hun kloten zou wringen als zij niet antwoordden wat hij wilde horen, is nu verminderd, gehandicapt sedert de ziekte van zijn vrouw, zover zelfs dat hij godverdomme de verworpeling vóór hem met handschoentjes aanpakt, dat wrak dat volgens de gegevens in de map voor zijn neus aan de universiteit heeft gestudeerd, een diploma, een praktijk had en geld als water verdiende aan zieke koeien, verkouden poedels, te castreren katers in het Waasland ergens, en toen niet van de vrouwen kon afblijven, ze deed bloeden en toen gevlucht is naar Holland waar men onbegrijpelijk begrijpend is voor alles wat de vaste waarden aanvecht, en toen terecht vervolgd werd om de grootste verminking, die van het leven zelf. Zo denkt Lippens, dacht de commissaris.

'Was je dronken?' vroeg de commissaris.

'Wanneer?'

'Toen je wegging van je werk.'

'Veel eerder.'

De klokken van de Sint Servatiuskerk waren opgehouden.

'Gaat ge Madame Sibylle ook ondervragen?' vroeg de man.

'Ik niet. Mijn adjunct.'

'Is dat nodig? Zij heeft al genoeg ellende.'

'Als zij niets te verbergen heeft zal er geen ellende zijn.'

In zijn verbeelding zag de commissaris Lippens een rapport tikken op de tekstverwerker op zijn eigen bureau. 'Ter attentie van de hoofdcommissaris. Confidentieel. De inzet en de discipline van het corps worden bedreigd door de laksheid van de chef.'

De man bewoog zijn lippen als een vis, perste zijn ogen dicht.

'Ik heb nog een kruis gemaakt gistermorgen,' zei hij.

'Voor het eten?'

'Nee, voor de kleine. Een kruis met planken van een kapotte kleerkast in de schuur. Ik zei hem: 'Een kruis godverdomme, Maarten, maar ge hebt pas een zilveren zwaard gekregen van uw Oma.' 'Alstublieft, Richard,' zei hij. 'En zeg het niet aan Mama.' Ik zeg: 'Goed, maar dan zult ge wel uw spaarpot moeten aanspreken.' Om te lachen natuurlijk. Maar vijf minuten later stond hij daar met een briefje van honderd frank. Drinkgeld.'

'Drinkgeld, zeg dat wel,' zei Lippens.

'Zij hebben mij daar altijd gaarne gezien,' zei de man alsof hij afscheid nam. Hij wreef over zijn nek.

'Dit keer ben je te ver gegaan, vriend,' zei de commissaris.

'Terwijl je alle kansen ter wereld hebt gekregen,' zei Lippens. 'Meer dan veel anderen.'

De nek en de schouders van de man werden geteisterd door zenuwscheuten. Hij hield op met erover te wrijven en fluisterde: 'Ik moet suiker hebben. Of een pintje. Suiker, anders ga ik omvervallen.' Hij trok als op een onhoorbaar bevel zijn katachtige, groenblauwe ogen wijd open. In de ooghoeken zaten amberkleurige propjes, als het hars dat uit een boom lekt in de zon.

MAARTEN zou het liefst als Clint Eastwood (die de jongens op school Cleinte Eestwot noemen) de heuvels opklimmen, met wijde, besliste passen, handen langs de heupen de revolvers aaiend, maar dat zou ketterij zijn met een kruis op je schouders, dat hoort bij de dagen van vroeger, toen hij nog niets wist over Jezus en toen Juffrouw Dora hem het boek nog niet gegeven had dat hij schichtig in het grootste geheim op zijn kamertje leest en bijna uit zijn hoofd kent.

Hij schuifelt behoedzaam door het droge gras zoals hij Jezus op de televisie heeft zien doen, slepend, doodmoe, maar toch zo snel mogelijk want hij moet de berg Goliath bereiken vóór de anderen, in het bijzonder vóór Onze Lieve Vrouw en haar zuster Magdalena, die niet aan de voet van het kruis kunnen beginnen met wenen als de hoofdacteur er nog niet aan hangt. Ondertussen zwiepen zilvergehelmde Romeinse soldaten met rijsjes over zijn rug, die naakt had moeten zijn met scharlaken striemen maar dat wil Mama niet. Zelfs in deze hitte is zij bang dat hij verkouden wordt. Mama is tegen God. Dat heeft zij geleerd van Papa die een heiden is en een meisje heeft.

Het kruis weegt zwaar. Hij zou Richard kunnen vragen om van alle uiteinden een stuk af te zagen, maar Richard was zo opgetogen geweest over zijn handwerk, het zou zijn hart breken. Een hart kan breken. Jezus, wat weegt dat kruis. Niet zo zwaar als bij Jezus natuurlijk, die viel almaardoor, die hebben ze de laatste meters verder moeten slepen. Het was dan ook gemaakt door zijn vader, althans door de man van Jezus' moeder, die timmerman was.

Ondertussen bespotten onzichtbare Farizeeërs hem als hij het hek van de boomgaard bereikt. 'Aha, daar komt de eland!' Onder de Farizeeërs en andere lafaards van Joden bevinden zich Achiel de postbode, Rik de bakker en verschillende jongens uit zijn klas. Ze pulken in hun neus en schieten de snotballetjes naar zijn gezicht. Hoe was het woord ook weer? Zij *hoonden* hem. 'Hé, ben jij de eland? Moet jij eerst nog niet wat groeien? En wat is dat voor een baard, eland?'

Maarten heeft de baard gemaakt van draadjes grijze wol die hij uit Mama's kast heeft gestolen en op zijn wangen geplakt met extra sterke, voor leer, stof en fluweel aanbevolen lijm. De baard jeukt als gek, maar wat is dat vergeleken met iemand bij wie dwars door de handpalmen en de voeten spijkers zijn geklopt?

Dwars door het onaflatende gesmaal van de Farizeeërs met hun Joodse tabbaarden, tulbanden, tabaksbaarden hoort Maarten zijn moeder roepen. Hij moet in bad voor Oma komt. Misschien, je kunt nooit weten, heeft Oma peperkoek met brokjes gekonfijt fruit bij zich. Jezus, de eland, kwijlt. Maar hij mag niet ingaan op de lekkere, zoete hoofdzonde gulzigheid. Alleen al hiervoor, omdat zij hem met de smeltende, mierzoete verleiding in het nauw brengt, zal Oma als zij doodgaat een dezer dagen naar het vagevuur moeten waar de zondaressen zonder eten wachten tot de eland beslist of zij verschroeid zullen worden tot het einde van de tijden der tijden, ofwel opgehesen zullen worden tot in de hoogste wolken waar Jezus zit te lachen en zegt: 'Kom maar binnen, wij hebben u verwacht, mijn vader en ik.'

Het kruis dreigt van zijn kletsnatte schouders te glijden. Vooral omdat hij zijn best moet doen om, op weg naar de berg Goliath, geen kever of rups of mier te vertrappen. Vandaar dat Jezus op de televisie mooi in het midden van een baan rood zand liep te wankelen. Het enige dat je mag vertrappen, moet vertrappen, als je haar ooit tegenkomt, is de slang die in de appelboom van het paradijs woont.

Zijn moeder brult dat zij haar moeder van het station gaat ophalen.

'O.K.!' schreeuwt Maarten terug.

'Ga onder de douche!'

Nee, Mama, de boete gaat altijd voor. Mama roept weer. De rubberband rond zijn voorhoofd waarin hij plastic hulsttakjes heeft gepropt spant steeds meer. Op een bepaald ogenblik kreeg Jezus hulp van een simpele voorbijganger in bestofte werkkledij. Maar hier zijn geen voorbijgangers, want zij wonen in een streek waar Jezus nog niet is voorbijgekomen, zei Papa. Wat zou Papa opkijken als hij hier in zijn Porsche langs kwam rijden en de zoon van God in de gedaante van zijn eigen kind in zijn boomgaard zou zien lopen! Maarten onderzoekt de schaarse wolken. Ook zijn andere vader, die in de hemel met zijn witte baard, is nergens te ontwaren, terwijl hij toch geacht wordt te verschijnen tussen de wolken om zijn zoon aan te moedigen – zoals een ploegleider in zijn open auto doet, als hij naar de renner die op kop rijdt en schromelijk afziet in de Franse bergen het nog te rijden aantal kilometers roept –, om dan die zoon na diens marteldood van zijn kruis te plukken en de hemel in te hijsen zodat iedereen achterovervalt van schrik. Maarten raakt moeilijk verder, zijn benen begeven het. Kan hij de ketter Richard van zijn strodak laten dalen om hem te helpen? Nee, de man nipt net van zijn blikken pul die lekkere, alhoewel hersendodende drank bevat. (Terwijl ik verdomme straks een spons met azijn in mijn gezicht geperst zal krijgen.)

Als hij nu zou opgeven, zijn solorit naar Goliath meteen, nu, hier beëindigen, zou dat een doodzonde zijn? Een doodzonde kun je ongedaan maken. Je kruipt in een houten hokje met een wand vol gaten, je vertelt je doodzonde, meneer pastoor luistert en neemt de doodzonde over op zijn eigen schouders, dan rekent meneer pastoor uit voor hoeveel kilo zonden je moet boeten, daar is een tarief voor, zoveel gewicht aan zonden is gelijk aan zoveel gewicht aan gebeden, en dat is het, de spons erover, en dan mag niemand beginnen te zeuren over dingen die voorbij zijn.

Maar Maarten mag de dorpskerk niet binnen om dat biechthokje van nabij te bestuderen, waarover de jongens op school en Juffrouw Dora hebben verteld, omdat zijn vader, zijn voorlopige aardse vader (die hem een familienaam heeft gegeven, die geld op de bank heeft gezet voor later als hij achttien jaar oud is en toen verdwenen is) een vrije denker is geweest, hetgeen Mama ook aan het vrije denken heeft gezet en dat is afschuwelijk en verschrikkelijk jammer want dat betekent dat die denkers in niets, maar dan ook helemaal niets geloven, dus is het niet te verwonderen dat Jezus er geen twee keer over nadenkt en hen na hun dood regelrecht naar de hel stuurt waar zij dag in dag uit nacht in nacht uit zullen verbranden, één onafgebroken derdegraadsverbranding in de helse zon onder de korst van de aarde.

Maarten lijdt, zweet, zijn hele lijf jeukt nu, maar hij lijdt niet genoeg. De Joden schoppen tegen zijn enkels, de Romeinen geven hem kop- en kniestoten. Achiel de postbode in zijn Farizeeërspak gooit handenvol zand in zijn mond.

En even onzichtbaar als de andere kwelduivels, maar toch dichterbij aanwezig, komt Meester Goossens in zijn ongekreukte stofjas uit de rij en bekijkt hem als zo vaak op de speelplaats met een opdringerige vriendschap, veel ongemakkelijker dan hoon, en zegt: 'Zo, Maarten, alles O.K.?'

Maarten hoort zichzelf antwoorden: 'Ja, Meester.' En dat is een van de ergste ketterijen, want er is maar één meester in de hemel en op aarde.

'Ik heb dorst,' roept Maarten. Niemand komt hem helpen. Zij die daarnet nog op het terras lag in haar bikini ook niet, natuurlijk niet, haar moeder gaat vóór haar zoon die de zonden van alle mensen wit wil wassen.

Schapen komen dichterbij en knabbelen aan zijn natte hemd.

'Fanta!' roept Maarten. 'Cola, Fanta!' roept Maarten naar de hemel.

MEESTER WILLY GOOSSENS mag niet naar de finale van het bowlen op BBC 2 kijken van zijn vrouw Liliane omdat haar schatteboutje vandaag al meer dan genoeg zijn ogen heeft versleten bij het verbeteren van het huiswerk en op zaterdag is haar Willy helemaal van haar, waar of niet, mijn piepkuikentje? Liliane, een volwassen vrouw van vierendertig, werkt grondig op Meester Willy Goossens zijn zenuwen als zij zo bakvisachtig doet, maar hij is uit liefde met haar getrouwd en dat schept verantwoordelijkheden. Het is overigens ook voor zijn bestwil, zoals zij er ook op let dat hij niet te veel koolhydraten mengt met vetten, zoals zij ook de roos van zijn jasje schuiert.

Meester Goossens luistert naar BRT 3, want dat is vaak heel leerzaam. Ooit zal men, al is het in een verre toekomst, op BRT 3 een uitvoering geven van wat nu als typoscript vóór hem op het eiken bureautje ligt, zijn opus 1, een map met zesendertig quarto-bladen erin. Op de map is een etiket met paarse randjes geplakt, daar staat zijn naam op in schuine letters, daaronder de titel in kapitalen CYBELE, daaronder een streep en daaronder onderstreept: declamatorium. Zesendertig pagina's. Een winter lang heeft hij gewanhoopt, avond na avond. Terwijl Liliane naar de tv keek, heeft hij gekrast, geschrapt tot op dat heuglijke moment in mei dat hij zijn vulpen heeft neergelegd en voor zich uit heeft gefluisterd: 'Einde. Beter kan ik het niet.' Liliane las het en zei: 'Het is diep, mijn kwarteltje, heel diep, maar wel antiek.' Hij legde haar, af en toe voorlezend uit een Prismapocket, de diepe bedoelingen uit, de verwijzingen, de citaten, de structuur. 'Het is magnifiek, ventje, zoals alles wat je opgeschreven hebt, maar het is te diep voor mij.'

Hij heeft het toen allemaal herschreven. Bij elke zin verbeeldde hij zich hoe het in haar armoeiige duffe brein zou overkomen, en een maand later was hij klaar met de uiteindelijke versie. Hij heeft het haar niet voorgelezen, dat had hij al die avonden al in gedachten gedaan. Soms vroeg hij zich af of hij wel een sprankeltje talent had als het zo moeilijk moest ontstaan, zo bijziende, verkrampt en hopeloos, maar dan dacht hij aan Flaubert en Jeroen Brouwers die allang tevreden waren met een regel of drie vier per dag. En dat waren beroepsschrijvers, die werkten daar een hele dag aan, terwijl hij de zorg had voor de gemeenteschool, voor de Bond van Heemkunde, voor de regionale berichtgeving in *De Morgen*, voor de activiteiten in het kader van het Cultuurweekend en voor zijn gezin, Liliane en hun zoontje Corry, zijn oogappel.

Goossens weegt het typoscript in zijn hand. Hij weet zeker dat de schepen van Cultuur aangenaam verrast was door het gewicht toen hij *Cybele* overhandigd kreeg. 'Maar Goossens, u bent op tijd, wij zijn dat niet gewoon bij artiesten.'

'Ik heb misschien niet zoveel talent, mijnheer de schepen, maar ik kom mijn afspraken na.'

'Ik zal het zeker nog deze week proberen te lezen, maar u weet, deze week hebben we het debat over de aanbesteding van onze stedelijke bibliotheek.'

'Natuurlijk, mijnheer de schepen.'

'Cybele, Cybele, op het moment ontsnapt het mij, iets uit de oudheid, nietwaar?'

'De godin van de vruchtbaarheid.'

'Juist, precies.'

'Ik heb het nogal licht gehouden, mijnheer de schepen, onze mensen, nietwaar? Als het boven hun petje gaat, nietwaar?'

‘Proficiat, Goossens, mooi op tijd.’

De schepen had de titel met een k uitgesproken. Maar het was delicaat om hem te verbeteren. Alhoewel: verbeteren. Kybele is correct. En alleen zonderlingen, maniakken, geobsedeerden zouden *C*ybele zeggen omdat de s-klank bepaalde emotionele echo’s heeft. Meester Goossens glimlacht. Hij hoort Liliane met pannen bezig. Hij kijkt snel het tv-programmablad in. Misschien haalt hij vanavond nog net de etappe Gap-Briançon in uitgesteld relais. Gewoon straks de repetitie van *Cybele* een beetje vaart geven. ‘Tempo, tempo, dames!’ Of de repetitie onderbreken, met een slappe hand over de wenkbrauwen wrijven, ‘Jongens, ik kan niet meer, het spijt me, ik ben overwerkt.’ Maar dat wordt natuurlijk overgebriefd aan de schepen op het stadhuis. ‘Goossens loopt op zijn laatste beentjes.’ ‘Goossens heeft aids.’ Nee, gewoon kwaad worden. Zijn ongebreidelde zucht naar perfectie krijgt de bovenhand, maakt zich van hem meester, hij gooit zijn script tegen de muur, hij slaat met de deuren, hij brult: ‘Amateurs!’ en rent naar zijn auto. Om kwart over elf is hij thuis, Liliane ligt al op één oor, en de sportuitzending begint, gedempt geluid, hij achterovergeleund, Pale Ale in de hand. Maar ‘amateurs’ mag hij niet roepen, want zij beogen niets anders te zijn dan onbetaalde vrijwilligers die hun nachtrust opofferen voor de kunst. Wat kan hij wel roepen? ‘Onnozelaars’?

BRT 3 zendt Beethoven uit, een trio. Hoe aangenaam, kalmerend.

Liliane komt binnen en vraagt of hij vanavond nootjes in de sla wil.

‘Nootjes?’

‘Het staat in Marie-Claire.’

‘Welke noten?’

'Walnoten.'
'Er zijn nu toch geen walnoten.'
'Uit een blik, gekje.'
'Doe wat je zelf het lekkerst vindt, Liliane.'
Af en toe zegt Meester Goossens tot zijn collega's: 'Ik ben het leven dankbaar dat ik Liliane heb.'
Liliane vraagt of zij vanavond een omelet met spinazie zal klaarmaken. Dat is licht, in spinazie zit ijzer en ijzer is goed voor het geheugen en dat geheugen heeft haar meneertje koekepeertje nodig als hij vanavond moet repeteren. Zij draait de knop van de radio om. 'Die muziek is zo deprimerend, vind je niet? Of had je 't willen horen? Zal ik het weer aanzetten?'
'Laat maar,' zegt Meester Goossens.
'Dan laat ik je weer aan het werk.' Maar zij blijft staan. 'Kusje,' zegt ze.
Meester Goossens kust.
Toen ze besloten te bouwen wilde hij zijn bureau naast de veranda. Maar Liliane zei: 'O nee, dan ga je je daar uren en uren afsluiten en dan zie ik je niet. O nee, ik kan je niet zo lang missen, mijn hartje. Al van toen ik een klein meisje was heb ik een hekel aan deuren die op slot kunnen.'
Vandaar dat hij nu aan zijn eikehouten bureautje zit in een annex van de woonkamer, van de woonkamer en de keuken gescheiden door een halve muur. De lucht van soep en uien daalt weerkaatst door het plafond over zijn haar en zijn papieren. Haar plotse gilletjes, als een breipen losschiet of als zij zich stoot, haar boeren en winden dringen door in zijn delicate, raadselachtige, creatieve gedachten waarvan de neerslag *Cybele* heeft besproeid.
Beethoven is de grootste van ons allen, hij overwint de pijn.

Want soms voelt Meester Goossens een neerslachtigheid die hij niet kan tegenhouden, alsof hij in het verkeerde lichaam zit, in een verkeerde wereld verkeert, in een vijandige tijd moet dwalen.

Het overkwam hem laatst toen hij zijn eigen Corry zag babbelen met Maarten Ghyselen die bij het hek van de speelplaats op zijn moeder stond te wachten. Het contrast tussen beide jongens van dezelfde leeftijd deed hem pijn. Corry begint steeds meer op Lilianes broer Johan te lijken, dezelfde stompe neus, die vooruitstekende onderlip, de ongave huid. Maarten is de schoonheid zelf.

Brave Corry die bang is voor het donker, voor het onweer, voor alle honden (terwijl zijn vader liefst zo'n trouwe aanhankelijke Mechelse schaper zou willen hebben die tijdens de winteravonden met zijn natte neus tegen hem aan zou springen en dan zijn zachtjes hijgende kop in zijn schoot zou leggen), hing aan Maartens lippen en Maarten hield een of ander betoog met zijn handen in zijn broekzakken, zelfverzekerd, zelfgenoegzaam als zijn moeder. Meester Goossens is naar het hek gewandeld, heeft nonchalant gezegd: 'Corry, Mama wacht op je', en 'Alles O.K., Maarten?' en heeft toen zijn hand in Maartens warme jongensnek gelegd, waarna het lange, klamme haar over zijn vingers viel. 'Jazeker, Meneer,' zei Maarten terwijl hij naar de gillende jongens van de hoogste klas keek die aan het volleyballen waren.

'Meneer.' Niet 'Meester', zoals de andere jongens. En toen was hij zonder een woord of een gebaar naar Juffrouw Dora gerend die vanachter de volleyballers te voorschijn kwam. 'De pijn van de afgunst is als een bijtende winterwind' luidt de vierde regel van pagina veertien van *Cybele*. Wat is overigens die vreemde verhouding tussen Maarten en Juffrouw Dora? Ze staan altijd ergens samen te smoezen. Hij gunt het Juffrouw Dora niet. Het mens is maanziek. Want ongetrouwd. Politiek benoemd. Als het aan Meester Goossens lag, trapte hij haar zijn school uit, terug naar de nonnenschool waar zij thuishoort. Op zulke ogenblikken van verwilderde pijn zou Meester Goossens Maarten willen bevelen zijn haar te laten knippen. Hij zou het kunnen doen op grond van bepaalde instructies van het ministerie. Maar het mag niet. Nooit. Het zou zijn als het afhakken van de neus van een marmeren Kouros. Maartens moeder zou het overigens nooit dulden. Terecht.

Volgens Liliane heeft Maartens moeder sedert haar man de deur uit is niet één minnaar gehad. Vrouwen merken dat van elkaar. Vrouwen zijn wonderen. Liliane zowel als Sibylle, elk op haar niveau.

Hij heeft Sibylle uitgenodigd voor het Cultuurweekend. Niet uit eigen naam natuurlijk maar namens het Cultuurcomité. Nietsvermoedend, hautain, zelfingenomen zal zij op de derde rij, op stoel nummer vierentwintig, zitten, en naarmate het declamatorium zich ontvouwt, zal de dame kippevel krijgen, haar dijen tegen elkaar persen, hongerig naar de coulissen staren waar zij meent dat de dader van de genadeloze portrettering van haarzelf zich verbergt, en dan weer verder, als het wild konijn in de autokoplichten in het veld, naar de Cybele in het voetlicht staren, en besluiten: 'De auteur van deze schandelijke openbaring kent mij, heeft mij ontleed, verafgoodt mij, werpt zich aan mijn voeten, tussen mijn dijen.' De rei van de eunuchen, waar de leden van Concordia nog altijd, na zoveel repetities, om moeten schateren, zal haar doen glimlachen. De rei van de nimfen moet haar tot in het bot treffen. Meester Goossens zegt het onhoorbaar tot zijn boekenkast: 'O, gij die in de bossen woonachtig zijt en heerst over de ongetemde dieren, o gij, die mijn oog verblijdt alsook mijn hart, mijn zenuwen, mijn klieren!' Onbeschaamd platte rijmen, jazeker, en Bruno Geerts van *Het Laatste Nieuws* zal er zijn neus voor optrekken, omdat de kinkel niet weet dat Goethe dergelijke rijmen niet beneden zijn stand vond voor zijn *Faust*, maar zij, zij die dit geïnspireerd heeft zal het herkennen, want wie anders in de streek woont in een boomgaard vlak bij de Zavelgemse bossen, welke andere godin houdt er schapen en parelhoenders?

'Zij die in heimelijkheid wordt bemind
en op de heuvels zwerft met haar enig kind.'

Het staat al op pagina drie, hoe kan het haar ontgaan?

Zij zou zijn aanbidding nu al moeten aanvoelen, al is daar nog geen glimp van zichtbaar geweest. Of wel? Laatst stond zij bij Rik de bakker met twee broden onder haar arm. 'Hallo, Meester,' zei zij en schoof langs hem heen. 'Meester.' ('Ik erken u als mijn veeleisende, almachtige en toch slaafse meester.')

Die namiddag had hij tijdens de rekenles achter elkaar de voorlaatste pagina van *Cybele* geschreven met rijmen en al.

En toch pijn. Anticiperende pijn. Want *Cybele* zal uitgejouwd worden. Het kan niet anders. Men zal nooit aannemen dat een dorpsschoolhoofd tot enige visie in staat is. Men zal het een antieke visie vinden. Zijn collega's, de turnleraar op kop, zij die op één mei met brallerige slogans in de stoet lopen, zullen grijnzen. Hij zal de vieze, onbegrijpelijke plek zijn van het Cultuurweekend, waarin, naar het wachtwoord van de Minister, de eetcultuur, de modecultuur, de vrijetijdscultuur hoogtij zal vieren. Liliane voelt dit ook aan. Zij zei: 'Beertje, het liefst ga ik niet mee naar de Sint Servatiuskerk want ik zal beven van de zenuwen. Ik weet wel dat alle grote geesten tijdens hun leven uitgejouwd werden, maar je mag mij niet vragen om erbij te zijn.'

Of zou hij vóór de voorstelling een gestencild blaadje aan de aanwezigen laten geven met een toelichting? Want tenslotte moet de gewone toeschouwer in één uur en een kwartier iets slikken en verteren waar híj maanden over heeft gedaan, maanden van studie en gepeins met behulp van mythologische encyclopedieën en referaten. Meester Goossens noteert driftig op een enveloppe van het ministerie: 'De wil als hoogste pijn brengt extase voort die uit zichzelf voortkomt, een identieke extase als van de zuivere intuïtie.' Als zij het dan nog niet snappen!

Liliane komt binnen, zij vlijt zich tegen hem aan. 'Willy, ik weet niet wat ik heb. Ik ben zo ongedurig. Willy, moet het vogeltje niet eens bij het muisje op bezoek?'

'Zo meteen,' zegt Meester Goossens. 'Binnen tien minuten. Ik moet nog iets noteren.'

MAARTEN verbergt zich voor Richard en voor de BMW waar Oma, steunend op Mama's schouder, moeilijk uitstapt, met een bespottelijke, vanillekleurige strohoed op. Nu zou hij naar haar toe moeten rennen en haar omhelzen, maar zal Richard hem vanaf zijn dak niet uitlachen, hem er niet mee plagen later? Het laatste uur zat Richard te zingen, een overduidelijk teken dat hij al flink de doodzonde van dronkenschap had begaan. Wat *tof* zou zijn is als Richard met zijn pul jenever van het strodak pletste vlak voor de autobanden en waarom niet meteen boven op Oma? Daar is een mirakel voor nodig. Maar om zo'n mirakel mag je niet bidden.

Er bengelt een mandje aan Oma's arm. Daar zit waarschijnlijk het avondeten in dat zij vlak voor de sluiting van de winkels goedkoop kan kopen in Antwerpen, de grootste haven ter wereld. Snoep zal er niet in zitten want Oma heeft als kind nooit één snoepje gekregen van haar achterlijke ouders. Alhoewel je nooit weet. Misschien waren er gisteren vlak voor de sluiting nog gemberkoeken over. 'Oma, Oma!' roept Maarten en vliegt op haar af.

'Jongen, wat ben jij vies,' zegt zij.

'Hij speelt voor oude man,' zegt Mama.

Maarten krabt de laatste restjes wol van zijn wangen. 'Ik ben onder de douche geweest.'

'Goed zo,' zegt Mama.

Oma heeft de mond en de jukbeenderen van Mama. Haar geteisterde kop zit onder een laag poeder, witte as in alle rimpels. Mama wordt ook zo, daar is geen ontkomen aan. Hij neemt het mandje over en zwaait ermee. 'Voorzichtig,' krijst Oma alsof hij, zoals zij, alles uit zijn handen laat vallen. Zij gunt Richard geen blik. Wel zegt zij in de woonkamer: 'Sibylle, hoe je die zatlap nog op het erf wilt.'

'Ach, hij doet zijn werk zeer behoorlijk.'

'Maar het is geen vakman. Je betaalt een vakman duurder maar je hebt daarna geen nare verrassingen.'

Af en toe trilt Oma's linkerooglid. Als een vlinder.

'Richard weet alles van dieren,' zegt Maarten. 'Dieren van de jungle en van de woestijn. Op de universiteit moest hij eens een kangoeroe opensnijden.'

'Een kangoeroe,' zegt Oma en gaat steunend op de eettafel in Papa's stoel zitten.

'Richard liegt nooit. Heeft hij ooit gelogen, Mama?'

'Niet zo schreeuwen, Maarten.'

'Maar is hij veearts geweest of niet?'

'Misschien,' zegt Mama, bang en laf als alle vrouwen.

'Ik zou toch zijn diploma eens willen zien,' zegt Oma, die plastic zakken uit haar mandje haalt.

'Ik zal het hem vragen. Maar het zou kunnen dat hij zijn diploma kwijt is. Want hij is alles kwijt. Zijn identiteitskaart ook,' zegt Maarten. Hij probeert Richard na te doen. De gemelijke lach, de rauwe stem, de jolige, uitdagende toon. 'En dat komt goed uit want dan kan ik niet gaan stempelen.'

Oma wringt uit een plastic zak een platte kartonnen doos met de afbeelding van een pannekoek. 'Maarten, hij mág niet gaan stempelen. Zoals hij ook niet mag stemmen.'

'Hij is zijn burgerrechten kwijt,' legt Mama uit. 'Dan mag je niet meer stemmen.'

'En dat is maar goed ook, hij zou toch voor de communisten stemmen,' zegt Oma. Met een tafelmes snijdt Oma de melkige rand van het vlies rond de doos door, zij haalt er voorzichtig dunne droge wafels uit, bleek met lichtbruine pukkels.

'Hm. Matses. Dat is lang geleden.' Mama zegt het zo meisjesachtig blij dat Maarten ervan opkijkt, want als Oma er is trekt Mama meestal een verveeld, vermoeid gezicht. Zij zegt ook nooit veel dan, wat Oma niet opmerkt, bezig als zij is met haar eigen verward gekwek. Maar je mag Oma dat niet kwalijk nemen, ganse dagen zit zij alleen in haar kamer aan de haven. Zij vindt de meeste mensen on-in-te-res-sant.

De koeken zien eruit alsof zij niet lang genoeg in de oven zijn geweest. Mama smeert er boter op, strooit er bruine suiker op. Maarten kwijlt, proeft, maalt, kauwt. De doodzonde van de gulzigheid. Heerlijk. Is doodzonde altijd overal doodzonde? Woede bij voorbeeld? Een ernstige zonde waar hij alles van af weet, want een paar uur geleden was hij nog behoorlijk woedend. Toen Mama voor de zesde keer riep dat hij onder de douche moest, en hij zijn martelgang naar de berg Goliath moest afbreken, heeft hij het kruis met een vloek en een verschrikkelijke smak in het gras gegooid. Maar woede is Jezus ook niet vreemd. Want in het boek dat hij van Juffrouw Dora heeft gekregen en dat verder niemand mag zien, *Jezus, de mens*, staat gedrukt dat Jezus woedend werd op de tollenaars die in het huis van zijn vader tolden. Moet hij overigens nog aan Juffrouw Dora vragen, dat tollen is niet met de tol spelen op de speelplaats.

Oma slaat met een servet op zijn hand.

'Genoeg voor vandaag, het is je vierde al.'

'Moeder, laat hem toch.'

'Al die boter en die suiker, Sibylle! Hij moet leren zich te beheersen. Hij kan niet altijd zijn zin krijgen.' Haar linkerooglid trilt, zal ooit eens wegvliegen als een vlinder.

Dan moet dat oog 's nachts onafgebroken in het donker blijven staren.

'Hoe dikwijls,' begint Oma, en gewoonlijk volgt er dan een klaagzang over vroeger, 'heeft Pappie jou ook niet gezegd dat je geen enkele discipline had, Sibylle, en dat je daar later voor zou moeten boeten.'

'Pappie was seniel,' zegt Mama. In een hoek van haar ongeverfde lippen, want waarom zou ze zich verven voor haar moeder? zit een splintertje bruine suiker, dat hij zou willen weglikken.

'Een beetje respect,' zegt Oma, vergaart de schilfertjes van de koeken in haar handpalm en laat ze in de asbak vallen. De asbak staat er nog van in Papa's tijd. Achiel de postbode laat er soms een nat verwrongen stompje sigaret in achter als hij moet wachten tot Mama een poststuk met geld heeft afgetekend dat van Papa komt, die Mama's maandgeld niet op haar bank wil overmaken omdat dit een *president* zou vormen. Terwijl zij begint af te ruimen steekt Mama, die aartsengel op aarde, Maarten de helft van haar koek toe. Lekker, papperig, zoet de krakerige koek vermalen, mengen met de chocomel. Opletten waar Mama de koeken zal opbergen. Maar Mama laat de doos staan, want op het terras, met tientallen fosforescerende kleurtjes bespat door de zon in het glas-in-loodraam staat Richard. Hij houdt zich vast aan de deurpost en wauwelt dat hij geen ijzerdraad meer heeft, dat Mama het moet meebrengen uit de stad. Dan ziet Richard Oma.

'Kijk nu toch wie daar is! Dat is lang geleden, hè, Madame?'

'Niet lang genoeg,' zegt Oma ongelooflijk onbeschoft.

''t Is dat de tijd niet stilstaat, hè, Madame?' Richard overdrijft, hij doet een dronkeman in een café na. Hij leunt tegen de bakstenen muur. Oma werpt beschuldigende, knipperende blikken naar Mama.

''t Is dat ik geen ijzerdraad meer heb, maar 't geeft niet, d'r is nog van alles te doen, het glasveld, het grasveld. Hé, Maarten, waar is je kruis?'

'In de tuin, bij de tomaten.'

'Richard, doe nu maar verder met je werk,' snerpt Oma.

''t Is dat ik... eh... dat ik...' Maarten kent de afwezigheden, de verstarring, het is de straf van de drinkers. Hij helpt. '... Dat je geen ijzerdraad meer hebt.'

'Juist, Maarten, juist.' Richard valt languit, zonder zijn armen voor zich uit te strekken, tegen de zwartarduinen vloer, steunt op een elleboog en wuift naar Maarten. Dan kruipt hij op handen en voeten terug naar het terras. Zij horen hem een liedje zingen dat hij bij de soldaten heeft geleerd.

'En jij moet daarmee lachen?' Oma spreekt niet tegen hem maar tegen Mama, die vertederd glimlacht naar de boomgaard.

'Moet ik erom schreien?'

'Vind je dat dit een gedrag is dat...'

'Gedrag, gedrag. Die man staat elke dag welgemutst op, doet zijn werk en valt 's avonds zat in zijn bed, wat wil je meer?'

'Een mooi voorbeeld voor Maarten!'

'Ik zal nooit een druppel drinken. Niet één in heel mijn leven.'

'Goed zo, Maarten,' zegt Mama, maar zij meent het niet.

'Hij zal wel weer in de bak geraken, let op mijn woorden. En dan zullen jullie zeggen: Oma heeft het voorspeld.'

'Heeft Richard al in de bak gezeten, Mama?'

Zij haalt haar schouders op, stapelt borden op elkaar. Zij laat haar kind in de steek. Zij is de dochter van de oude vrouw.

'Mama. Ik vraag je iets...'

'Maarten, schei uit met dat krijsen.'

'Waarom heeft hij in de bak gezeten? Heeft hij iemand doodgedaan?'

'Een andere keer, Maarten.'

'Nee! Nu!' Zij wil niet antwoorden omdat de oude vrouw erbij is, zij wil niet laten weten dat zij hem altijd zijn zin geeft.

'O.K.,' zegt Maarten. 'Vertel het mij een andere keer. Maar dan mag ik nog één mats?'

Zij bebotert er nog een, ontwijkt de terechtwijzende blik van de oude vrouw, metselt bruine suiker in de boter, veegt haar vingers af.

Maarten pakt te gretig de wafel die middendoor breekt, maar hij kan de twee helften redden. Water gutst van achter zijn tong. Hij hapt.

'Niet *mats*,' zegt Oma. 'Maar matse. Dat betekent: ongezuurd brood.'

'Paasbrood,' zegt Mama.

'Het brood van de joden. Die eten geen brood als wij, maar dit.'

Een zure kramp schiet in zijn maag vol chocomel, de twee zonden, woede en gulzigheid, branden in zijn buik, in zijn slapen gonst het en bonst het, en het is niet tegen te houden, zijn lippen worden door ijzeren klauwen opengerekt, een geelbruine golf stort zich over het zeil van de tafel, de borden, Oma's jurk. 'Het zijn de Joden,' zegt hij, en de zoute verschroeiing bereikt zijn neusholten, zijn huig, zijn ogen. De twee vrouwen die hem wilden vergiftigen met dat Joodse voedsel zijn overeind gesprongen, Mama wil hem vangen, hij slaat de gladde, van zonnebrandolie glanzende arm weg, hij richt een tafelmes naar Oma's linkeroog. 'Jullie spannen samen met de Joden! Achter mijn rug!'

'Welke joden?'

Opnieuw, opnieuw doet Mama alsof zij niet weet wat er bedoeld wordt, o wat is zij daar sterk in! De krakkemikkige oude vrouw met het verwrongen gezicht geeft een gesmoorde gil. Haar dochter heft een dreigende hand met parelmoergelakte vingernagels.

'Sibylle,' zegt Oma, 'wat heb jij in Godsnaam aan die jongen wijsgemaakt?'

'Welke joden, Maarten?'

Hij struikelt over zijn woorden. 'Die viezerds, stinkerds, met hun baarden, die zich nooit wassen...'

Mama trekt aan zijn T-shirt, zij knijpt zijn kin samen. 'Wie vertelt dat?'

'Dat weet iedereen toch.'

'Wie iedereen?' Zij doet hem pijn, haar nagels wroeten in zijn wang.

'Het was nog op de televisie veertien dagen geleden.'

'Wat was er op de televisie?'

'De film over Jezus. Kijk in de Humo.'

'Die dwaze film.' Zij laat hem los.

'Hebben de Joden Jezus vermoord of niet?'

Er verschijnt een loodrechte verticale rimpel tussen haar wenkbrauwen. Haar denkrimpel, vrijdenkende rimpel die zich herinnert. (Hij: 'Mag ik die film zien, Mama? Toe alsjeblief.' Zij vanuit haar bed: 'Maar niet later dan tien uur.' En hij natuurlijk lekker tot half elf, de zonde van de ongehoorzaamheid afwegend tegen het aanzwellende, adembenemende hoogtepunt toen de eland op die bloederige berg kermde en aan zijn vader vroeg waarom hij weggelopen was en dan tussen de twee schurken hing, de goede en de slechte die op Sylvester Stallone leek in het dun.)

Mama wordt lelijk door de inspanning van de herinnering. 'Dus daarom ben jij al die tijd zo lastig en loop je carnaval te spelen met een kruis.' Zij wendt zich tot haar moeder aan wie zij rekenschap moet geven, een moeder gaat een heel leven mee. 'Ik dacht dat het over zou gaan, vanzelf over zou gaan.'

'En je ziet, Sibylle,' zegt Oma, die nooit iets ziet.

Maarten moet zijn moeder helpen het braaksel op te vegen. Oma is in de keuken en het berghok de flessen aan het verzamelen die zij van Mama mag meenemen en waarvoor zij staangeld krijgt.

'Dat de joden zich niet wassen, dat tonen ze niet op de tv,' zegt Mama. 'Wie vertelt je zoiets? Maarten, antwoord.'

'Koppige steenezel,' roept Oma. 'Precies zijn vader.'

'Moeder, laat Gerard hierbuiten.'

'Omdat je de waarheid niet wil horen.'

'Maarten, antwoord of ik...'

'Of ik? Of ik wat?'

'Of ik geef je een draai om je oren.'

'Doe dat dan. Begin maar. Ik vraag je erom. Toe.' Kreeg Jezus rammel van zijn moeder? Dat staat niet in *Jezus, de mens.* Negen op tien niet. Integendeel, zij drukte hem aan haar hart. En op het laatst stond zij links onder aan het kruis, met haar tranende gezicht op de hoogte van zijn kapotte knieën.

'Of is het Irene die je die prietpraat vertelt?'

Maarten barst in lachen uit. Irene die niet tot tien kan tellen, die met een garnaalvisser getrouwd is geweest!

'Joden zijn ook mensen,' zegt Oma buiten adem en zet haar flessen bij de voordeur.

'Of zijn het de jongens op school die zoiets uitvinden?'

'Uitvinden! Die gasten hebben Jezus zijn hart doorstoken, hem azijn te drinken gegeven, gaten in zijn handen en voeten geslagen met spijkers!' Zijn stem slaat over. 'Maar zij hebben hem niet kapotgekregen, die rotzakken, want hij is na drie dagen verrezen!'

'Dan kon hij blijkbaar tegen een duwtje,' zegt Oma. Maarten wil ter plekke een van haar flessen op haar hersens slaan.

'Maarten, doe niet zo hysterisch. Maarten, luister. Luister je?'

'Ja.'

'Ja wie?'

'Ja, Mama.'

'Jezus was toch ook een jood.'

'Wat? Nooit van zijn leven!'

'Geboren uit een joodse moeder voor zover ik weet.'

'Nogal logisch,' zegt de oude vrouw bij de voordeur.

'Hahaha,' doet Maarten. Het klinkt zwak.

'Maarten, wat was Jezus dan wel volgens jou?'

'Geen Jood.'

'Maar wat dan wel?'

'Een Katholiek.' Nu hij het hardop zegt klinkt het onwaar.

('Voorwaar, voorwaar, ik zeg u,' zei de eland. Maar wat zei hij daarna? Hij zei niet dat hij Katholiek was.)

Maarten schreeuwt: 'Jullie moeten niet met Jodeneten aankomen. Als je een Jood ziet moet je een kruis slaan en aan de andere kant van de straat lopen.'

'Maarten, niet zo hysterisch!'

'Moet *jij* zeggen.'

'Maarten, als jij mij niet, nu meteen, zegt wie jou met die nonsens heeft opgestookt, ga je meteen het konijnehok in tot vanavond laat. Misschien de hele nacht.'

Maarten kan de waarheid niet zeggen. Hij heeft op het hoofd van haar die daar nu grimmig nadert, gezworen dat hij nooit zal verklappen wie hem bekeerd heeft tot het ene, ware geloof. Want als hij de waarheid zou zeggen, zou een heilige vrouw die nu aan het sterven is, nog gemarteld worden in de laatste dagen van haar leven, want zij zou op straat gezet worden, met haar meubels op straat vóór haar woning, want zij zou haar betrekking verliezen door de schuld van mensen als Papa en Oma en Mama en Meneer Goossens die vrij denken en de eland gruwelijk bespotten en geen haartje beter zijn dan de Farizeeërs en de tollenaars die tollen.

'Je krijgt nog tien seconden,' zegt Mama. Maarten kijkt op zijn polshorloge en zegt precies negen tellen later: 'Meneer Goossens.'

(Niet: Meester Goossens. Er is maar één meester, ook bijgenaamd: Rabbi.)

'Meneer Goossens, dat kan ik mij niet voorstellen. Wanneer?'

'In de les over vreemde volken, hun zeden en gewoonten.'

'Je hebt een zes voor aardrijkskunde. Je zal het verkeerd begrepen hebben,' zegt Oma, die niet één naam kan onthouden, alleen cijfers.

'Ga naar je kamer, Maarten,' zegt Mama bits. In de badkamer drinkt hij snel drie glazen water achter elkaar, hij eet tandpasta, gorgelt met een restje van Papa's aftershave, maar hij krijgt de smaak van de Joden niet uit zijn mond.

JUFFROUW DORA fietst de heuvel van het Kapellebos op als nooit tevoren. Vleugels heeft zij. De wind, alhoewel zoel en zwak, duwt in haar rug. Zij ademt in en uit met besliste stootjes. Zij wil niet, zij zal niet vóór Kerstmis sterven, het zou te onrechtvaardig zijn, want zij moet het dameskoor Excelsior nog duchtig trainen voor het optreedt op Sinterklaasavond.

Haar muzieklessen aan het O.L.Vrouwcollege in de stad en aan de dorpsschool van Zavelgem zijn opdrachten die zij met liefde vervult, maar het Excelsiorkoor is haar levenswerk. Behalve het zieleheil van Maarten Ghyselen natuurlijk, maar dat is van een andere orde, dat is een zeldzame manifestatie van de genade.

Nu heeft de pastoor van Zavelgem haar gevraagd om met haar koor op te treden in het Cultuurweekend als tegenwicht tegen de invloed van de liberalen die in de Sint Servatiuskerk, al is die buiten dienst en verhuurd aan het stadsbestuur, niets te zoeken hebben.

'Er zijn nog een paar alto's die bijgeschaafd moeten worden,' heeft zij geantwoord. 'Schaaf dan maar,' gromde hij. Juffrouw Dora is vastbesloten te blijven leven tot Kerstmis, tot zij de kerstkribbe met zijn in bruin pakpapier gewikkelde beelden te voorschijn kan halen en opstellen in haar salon.

Zij raakt amechtig boven op de heuvel en stapt van haar fiets. Het panorama met de boerderijen, de fabrieken, de bossen zal zij misschien nog onder de sneeuw kunnen zien. In een weide vlakbij spelen kinderen met een vlieger, zij sturen papieren vlinders naar de deinende, zwaaiende draak, boodschappen naar de hemel.

Het past niet voor een lerares, maar Juffrouw Dora gaat op een berm naast de weg zitten. Eigenlijk zou ze nu een dutje willen doen, in het droge gras. Zij dommelt in maar spert dan haar ogen wijd open. Elk ogenblik dat zij de prooi is van dat kluwen van gretige wormpjes in haar lijf, moet zij inzetten voor de Heiland.

Nu. Zij denkt aan haar Maarten. Hoe zoet het begon.

Zij liep in de gang die de schoollokalen verbindt en hoorde de door sigaren aangetaste stem van de pastoor die, zeer toepasselijk in deze tijd waarin Arabieren en Joden elkaar naar het leven staan, bezig was over Absalom. Het klonk duf. Niet dat zij ooit (tenminste niet in het openbaar) iets zou durven aanmerken op de stijl en de verteltrant van zijn godsdienstles, tenslotte is talent zoals een volwaardige zangstem niet evenredig verdeeld op aarde, maar deze ongeïnspireerde, plichtmatige dreun vond zij onwaardig.

Op dat ogenblik, in die grauwe dag, in die donkere schoolgang, alleen verlicht door een raam waarin de aureool van de zon werd opgeslorpt door waterachtige wolkenslierten, was zij op weg naar de derde klas waar zij van plan was 'Finestra che lucevi' in te studeren, toen zij de stem hoorde. Het was geen stem natuurlijk, zij kwam niet voort uit een strottehoofd, niet uit een in- en uitademing, het was eerder haar eigen onblusbare verlangen naar een stem dat zich omzette in trillingen die meer in haarzelf ontstonden dan in de vale lucht die haar omgaf, maar toch zei de stem: 'Nu!', in een stilte die ook op dat ogenblik ontstond, als een klap in haar gezicht. 'Nu', in een flits, de tijd van de onvatbare klank. Nu zag zij Maarten Ghyselen die met zijn wang tegen de deur van het klaslokaal B5 stond, in een oneigenlijke, in zichzelf gekeerde houding. Hij had zijn lange haar opzij gegooid om zijn oor dichter tegen het deurpaneel te kunnen pletten. Later meende zij dat hij zelfs op de toppen van zijn Nikes stond.

'Wat doe jij hier, Maarten?'

Hij schrok niet. Hij maakte zich los van de deur met de koppige zenuwtrek die zij kende van toen hij eens slechte punten kreeg in notenleer.

'Wachten,' zei hij en liep weg, langs het raam waarachter je de lege speelplaats kon zien met het paneel 'Vlaanderen leeft!'

'Waarop wacht je?'

'Tot meneer pastoor klaar is.'

Zij haalde hem pas in toen hij bij de klas van Meester Goossens kwam, waar zij aan zijn mouw trok. Meester Goossens dreunde een tafel van vermenigvuldiging op. Later dacht zij ook dat zij toen de jongen van het heidens pad had weggerukt tussen twee machtige, aan elkaar tornende geluidsbronnen, de bas van de priester die dreinde over Absalom en de nerveuze heldentenor (niet hoger dan *bes*) van iemand die zijn geloof vond in zogezegd exacte begrippen.

'Wat deed je daar in de gang, Maarten?'

'Luisteren,' zei de jongen nukkig.

De jongen mocht daar niet alleen zijn, dat is tegen het reglement, daar kunnen nare juridische gevolgen van komen.

'Maar je hoort toch in de studie te zijn met Mevrouw Sorgheloos?'

'Zij heeft griep. Zegt ze tenminste.'

'Is Mevrouw Sorgheloos hier geweest?'

'Zij heeft het aan Meester Goossens laten weten.'

Juffrouw Dora heeft het altijd absurd gevonden dat er voor één enkele leerling die van zijn sektarische ouders geen godsdienstles mocht volgen, wat hem blootstelde aan het wantrouwen en de hoon van zijn medeleerlingen zodat hij misschien wel voor de rest van zijn leven daardoor gebrandmerkt zou worden, speciaal een lerares in zedenleer aangeworven werd. Juffrouw Dora heeft eerbied voor andermans overtuiging – moraal en rationalisme kunnen op zichzelf geen al te grote schade doen – maar dit is te zot voor woorden. Vooral daar Mevrouw Sorgheloos, die gescheiden is, het ook regelmatig laat afweten, ongetwijfeld daarin aangemoedigd, althans niet berispt, door het schoolhoofd.

'Nu.'

Zij had nog altijd de mouw van zijn jeans-jasje tussen haar vingers, zij wachtte op de stem en verving de stem door haar eigen, gejaagd, onderhuids gejakker:

'Dora, je tijd is aangebroken, de tijd van de ziekte, de dodelijke knobbels in je lijf, de tijd van één opdracht, de tijd van één ziel en die ziel is die van de jongen met de wilde haren, onschuldig als een van de kleine herders op weg naar de kribbe en alom belaagd door het kwaad.'

'Waarom luisterde je aan die deur?'

'Omdat meneer pastoor zo mooi kan vertellen.'

'Vind je?'

Bijna elke dag van de volgende weken heeft zij hem haastig, met z'n tweetjes 's middags in het overblijflokaal, voorgelezen, uit haar Nieuw Testament vooral, heeft zij aan hem verteld over haar geheim, hoe zij binnenkort met stukgereten weefsels in de wereld van de schaduwen zou opgenomen worden in het vagevuur. Zij heeft hem gesmeekt aan niemand te zeggen wie hem inwijdde in de waarheid, de weg en het leven, omdat nog altijd, zoals in de tijd van de catacomben, de ware christenen, de armen en de onschuldigen kunnen worden vervolgd door de liberalen, de socialisten en al de heidenen van tegenwoordig in de officiële scholen.

In de volgende weken zong Juffrouw Dora in de les, dat merkte zij trots en dankbaar, hoger, feller. Maarten en zij wisselden brandende blikken. Zij heeft hem het boek van Kanunnik Versijp gegeven dat handelt over Jezus als mens. O, mocht dit *Nu* blijven duren tot Kerstmis.

Juffrouw Dora klimt weer op haar fiets. Zij zal trager rijden als zij langs het landhuis van de Ghyselens komt. 'Ik lijk wel verliefd. Beter laat dan nooit,' zegt zij giechelend en rinkelt hard met haar fietsbel.

DE COMMISSARIS stond wijdbeens in de naar formaline en Clara's parfum ruikende cel en hoorde Clara's klachten aan. Zij wilde aldoor om zijn nek vallen, elke keer maakte hij zich vriendelijk los.

'Maar hoe kan ik mijn katten verzorgen als ik mijn cliënten niet mag verzorgen, meneer de commissaris?'

'Het mag niet, Clara.'

'En die meisjes langs de Veurnesesteenweg dan, met hun bloot gat in de vitrine? Dat mag wel. Vooral daar mijn cliënten propere deftige burgers zijn, van jaren, die niemand kwaad doen.'

'Het mag niet, Clara.'

'Maar d'r is zoveel dat niet mag!' riep haar oeroud trouw gelig benig gezicht.

'Het is de wet, Clara.'

Op weg naar zijn veilige kamer werd hij nog aangeklampt door een paartje in zondagse kleren, Jehova's getuigen. Zij wilden hem bekeren, hij liep door. Hij haastte zich toen want misschien was het toch niet zo'n goed idee geweest om Lippens zo lang alleen bij Richard Robion te laten.

Hij merkte het meteen aan de joviale, ontspannen houding van zijn agent. Er was schade aangericht. Tegen elk reglement, tegen elk gezond verstand in, had Lippens op de man zijn gezicht geknokt. De man stond in een vaag militaire houding voor het bureau, hield zijn lenden vast en klappertandde. Zijn wang was rood en gezwollen.

De commissaris zond Lippens naar de snackbar om zes broodjes kaas. Hij duwde op de man zijn schouder tot hij zat.

Ze zaten tegenover elkaar in stilte. Alleen het sissend geluid als de man zijn schoenen verplaatste. Tegenover het politiebureau stond een huis in afbraak. De gepokte betonnen blokken, de stellingen van losse planken, de bestofte kabels, de flarden behangpapier, een kapotte sofa, maakten de commissaris neerslachtig.

Men zou het huis weer opbouwen, weer afbreken.

De man leek dat te raden. Er verscheen een gelaten uitdrukking op zijn gezicht alsof hij op zijn beurt een of ander verdriet bedwong en in kalme herinneringen verzonk. De commissaris deed alsof hij zijn agenda raadpleegde. Op twee blaadjes stond in zijn benepen, schuin handschrift: 'Cultuurweekend. Lunch Gouverneur.'

'Die agent weet van wanten,' zei de man. 'Hij heeft me lelijk zeer gedaan.'

'Hij kan er niet tegen als men hem treitert. Hij is nog van de oude stempel.'

'Niet als gij, hé?'

'Nee.' De commissaris dacht: Ik wil helemaal niet naar huis, het is onredelijk, maar ik kan niet tegen dingen die vervallen, verrijzen.

'Hoe lang denkt ge nog bij de politie te zijn?'

'Wat gaat jou dat aan?' zei de commissaris verbaasd.

'Moet ge nog niet op pensioen?'

Dat uitgerekend deze man, dit wrak, als vanzelfsprekend over zijn verval begon deed zijn nekhaar overeind komen. 'Genoeg gezeverd,' snauwde hij. 'Je vrouw...'

'Nee,' zei de man luid. 'Laat haar met rust.'

'Jij had haar beter met rust gelaten.'

Met zijn vlakke handpalm sloeg de man op het bureau, het bronzen inktstel wipte op.

'Nee, zeg ik.'

'Goed. Goed.' Stilte. Goed dat Lippens dit niet meemaakt. In het huis in afbraak wandelden twee heren in zondags pak, zij beklommen de betonnen blokken, duiven fladderden weg.

In de gang weerklonk de chagrijnige stem van Ronald Veydt, de correspondent van *Het Volk*, die waarschijnlijk aan Naessens vroeg waarom de misdadiger zo lang in het politiebureau bleef. Omdat ik het wil, Veydt.

Toen Lippens de man een broodje aanreikte, liet deze het vallen. Hij graaide ernaar met een uitzonderlijk brede hand, hij plukte een driehoekje kaas van zijn naakte, zwart en rood gevlekte enkel, wreef zijn hand af aan zijn broek.

'Je kunt hier van de grond eten,' zei Lippens.

Toen hij uitgekauwd was begon de man te praten. De ergernis van de commissaris, die enigszins was weggeëbd toen hij de man zag eten, laaide weer op want de man mat zich de aarzelende, met euh, euh's doorspekte manier van praten van de boeren uit de omtrek aan. Hij was geen boer maar verkoos hun nors gestamel dat elke niet haperende zin wantrouwde als verdacht, glad, stedelijk bedrog.

'Had ik maar. Ik moest op een moment van 't dak vanwege. Omdat mijn pul leeg was. Ge weet hoe het is als een pul leeg is. Crimineel zat? Nee. Maar ik lag toch meer op 't dak dan ik zat. Juffrouw Dora, de muziekjuffrouw, kwam nog langs. Op haar fiets. Dat ik nog dacht, zij koerst nog straf. Gezien haar toestand. Want ze zeggen dat. Ach, zij zeggen zoveel. Later passeerde ze nog eens een keer. Maar toen lag ik al in de tomaten.'

Moet ik noteren, dacht de commissaris, en signaleren aan notaris Dockx, voor zijn idioticon van de streek. In de tomaten liggen: bewusteloos liggen door overmatig drankgebruik.

Hij bleef luisteren naar de leugens, de afgebroken zinnen, de zinloze uitweidingen, uit gewoonte, omdat daaruit de fragmenten van de politiewaarheid te sprokkelen waren, maar ook omdat hij de man in zijn kamer wilde houden. Ik wil uitstellen, ophouden, constateerde, noteerde hij als in zijn agenda. Net zoals hij die hier tegenover mij hakkelt en over de vloer schuift met zijn natte piepende schoenen, de herinnering aan zijn stinkende, lillende daad wil uitstellen waarrond de vliegen zwermden vanochtend kwart over tien. Belselestraat, achttien. Ik wil niet naar huis. Kan ik het helpen dat ik haar niet meer kan beminnen? Dit terwijl de man zonder pauze maar met kortademig geknor zei: 'Ge kunt ver zien van daarboven. Als er geen mist hangt in het Verdegem-dal kunt ge de toren van Oudenaarde zien. En nog zoveel. Twee kerels in kameelharen jassen, een half uur lang, in een stilstaande Lada. Een vrouw met een dik gat die schreide. De meisjes van 't pensionaat op de fiets. Juffrouw Dora.'

'Dat heb je al verteld.'

'Denijs van de groentewinkel ook. In zijn tweepaardje. Die komt kijken waar hij 's nachts appels kan komen plukken...'

De commissaris onderbrak hem. 'Heb jij soms een oogje op de Madame waar je werkt?'

'Ik? Nee. Op mijn leeftijd.'

'Heb je haar nooit lastiggevallen?'

'Die jaren zijn voorbij.'

'Vierenveertig. Dan kan je toch nog een fluitje steken,' zei Lippens.

'In mijn geval niet.'

'Wij gaan je klein krijgen,' zei Lippens.

'Hoe heet die Madame waar je werkt?'

‘Ghyselen, dat heb ik al tien keer gezegd.’

‘En haar voornaam?’

‘Sibylle,’ zei de man.

‘Hoe?’

‘Sibylle,’ herhaalde hij. Zijn mond viel open. Hij vergat hem dicht te doen.

‘Waarom word je rood?’

‘Ik ben beschaamd in uw plaats, meneer de commissaris.’

‘Hola, hola,’ deed Lippens.

De commissaris kreeg hoofdpijn. Alsof een onzichtbare bril op zijn neus werd gezet, een stalen montuur dat knelde aan zijn slapen, aan zijn oogkassen. Vroeger kon hij uit dat richtingloze gezwets een geordend verhoor opbouwen, bewijzen vergaren, hoofdlijnen trekken in de wanordelijke materie van de misdaad, de winst en het verlies van een ondervraging onderscheiden.

Lippens nam over. De namen van de cafés die de man had bezocht na het werk. Het Roosje bij Fernand. Rustica aan de autostrade. Bij Margriet. Hoe lang hij gebleven was. Hoe hij thuisgeraakt was, hoeveel kilometer het huis van de Ghyselens scheidde van zijn huis in de stad. Wat hij nog had uitgevoerd bij de Ghyselens toen Madame Ghyselen wegfietste in de richting van het dorp.

‘Ik heb de kleine vastgepakt. Hij schopte en sloeg mij, maar ik heb hem toch in het konijnehok gekregen.’

De man stroopte zijn hemdsmouw op, onderzocht de lichtblauwe regenwormen die zwollen op zijn onderarm, hij wreef erover en lachte naar Lippens.

‘Ge hebt mij lelijk zeer gedaan.’

‘Ik heb je gewaarschuwd,’ zei Lippens. ‘Je moet antwoorden als ik tegen je spreek.’

‘De kleine,’ zei de man en leunde voorover, een vertrouwelijke waarschuwing alleen voor de commissaris bestemd. 'De kleine gaat nog zot draaien met zijn histories over Jezus. Want hij denkt dat hij Jezus zelf is...'

De commissaris zag dat de baard van de man sterk gegroeid was sedert hij die morgen, lallend, blind, met gespreide benen op de gevlamde balatumvloer, naar adem snakkend, gevonden werd. Baardgroei uit angst, uit wroeging. '... op de berg Goliath,' zei de man.

'De berg Golgotha.'

'De kleine zei Goliath.'

'Goliath, dat is iemand anders,' zei de commissaris zachtjes.

MAARTEN kerft met een bot tafelmes in de bast van een zilverberk, de schors komt moeilijk los. Hij had beter een aardappelmesje kunnen meegrissen uit de lade bij het aanrecht maar hij moet nog leren om, zoals Clint Eastwood, in de meest meeslepende onzinnige woede oplettend te blijven.

Oma schreeuwt dat hij van die boom moet afblijven. Kom, kom, dit zijn Papa's bomen en Papa heeft zeker in zijn testament vastgelegd dat alle bomen van de boomgaard – die hij een dezer dagen moet tellen overigens – aan hem toekomen, de enige erfgenaam. Tenzij Papa bij zijn nieuwe meisje een nieuwe erfgenaam maakt. Maar dat zien wij dan wel. Pas toch maar op, halve broer, tweede persoon, hier komt de zwaardvis.

Maarten klemt het tafelmes in zijn vuist en houdt het voor zijn neus, hij leunt ver naar voren en klieft door de Middellandse Zee, hij toetert en snerpt, wat niet zo onnozel is, want vissen maken een hels lawaai onder water. Hij achtervolgt de bleke schim van zijn halfbroer door de wieren en de grotten. Bij de kerselaren zwenkt hij en stevent hij op Oma af. De door alle zeebewoners gevreesde zwaardvis zal dwars door die gebloemde jurk snijden, de inhoud van de jurk aan zijn punt spietsen, flitsend als door een school makreel. Hij remt, laat de spiets zakken. Een laag voorbijscherende straaljager vernietigt zijn getoeter.

'Maarten, kom hier!'

'Waarom?'

'Omdat ik het zeg.' Het eeuwige antwoord.

'Je bent mijn ouder niet, maar een grootouder en die

hebben niks te vertellen.' Grootouders zijn niets. Noch vis noch vlees. En komen overal op de tweede plaats. Zoals Jezus de tweede persoon is van de Drievuldigheid, als tweede ingevuld na zijn vader die nummer één blijft hoe dan ook.

Oma sloft over de bemoste bakstenen trapjes van het terras, loopt langs de rododendron en houdt zich dan vast aan de okergeverfde muur. Papa en Mama hebben de kleur van de buitenmuren bepaald na hun reis door Italië waar alle muren deze kleur hebben. Het is zeer lang geleden. Het is heel vreemd dat hij er toen niet was. Of misschien zat hij toen al in Mama's buik. En klopte zijn hart al.

Oma blijft schreeuwen, ditmaal in de richting van Richard. Zij beveelt hem om Maarten meteen bij haar te brengen en, geloof het of niet, de slapjanus gehoorzaamt, hij kruipt traag maar niet onwillig de deinende ladder af, een mist van stofjes stro rond zijn silhouet.

Maarten vlucht. Hij bereikt de dikke linde die minstens honderd jaar oud is en dus vele oorlogen heeft overleefd en die Papa 'mijn boom' noemde. Hij hoort Oma tekeergaan, hij ziet hoe Richard zich bukt en de veter van zijn schoen dichtknoopt, zich opricht en begint te rennen. Maarten verlaat de linde en holt naar de haag, dan naar het gat in de haag waar het onkruid mensenhoog is en de slakken, de vleermuizen en de ratten wonen.

Het duurt niet lang voor Richard hem inhaalt, hem grijpt, hem juichend in de lucht tilt, zijn zure adem in Maartens gezicht.

'Judas,' zegt Maarten. Met gemak gooit Richard hem over zijn schouder. Maarten zwaait, slaat, schopt, omdat het van hem verwacht wordt, maar terwijl hij blijft grommen en wriemelen komt er een koele kalmte over hem.

Dan laat hij zijn lichaam slap hangen op het bewegende, rustig stappende staketsel. Alsof hij voor vandaag zijn rantsoen doodzonde van woede heeft opgebruikt.

'Richard, laat me los,' zegt hij en Richard gehoorzaamt aan zijn kalmte.

'Bedankt, Richard,' zegt hij en legt zijn hand in die van de overwinnaar, een ongeschaafde houten handschoen van een hand.

'In het kot,' zegt Oma. 'In het kot. Tot zijn moeder terug is.'

De beestachtige geur van het konijnehok is reeds merkbaar bij de kerselaars, helemaal bij de deur van Papa's biljartkamer, en dat terwijl de konijnen al maanden dood zijn, zij lagen op een morgen allemaal met hun witte buiken in de lucht. Zij hebben het eeuwige leven, daarom stinken zij nog al die tijd na hun dood. Het eeuwige leven van alle doden die op het rechte pad zijn gebleven. Zoals de kersebloesems elk jaar terugkomen. De onrechtvaardigen hebben ook het eeuwige leven, maar dan in kokende olie.

('En jij bent meteen met Richard meegegaan naar het konijnehok?' vroeg Juffrouw Dora vier dagen later, drie dagen na de verschrikking.

'Ja. Meteen.'

'Omdat je voelde dat je Oma gelijk had?'

'Ja. Je mag geen bomen schenden. Het is even erg als zeehondjes doodknuppelen. Bomen schreien ook, alleen kunnen wij 't niet merken.'

'Goed, Maarten, zeer goed. En wat deed Richard bij jou in het konijnehok?'

'Babbelen.'

'Alleen maar babbelen? Gewoonlijk zegt hij niet zoveel.'

'Tegen mij wel.'

'Waarover? Wil je 't niet zeggen? Je hoeft het niet te zeggen als je 't niet wil.'

Maarten wou Juffrouw Dora meer dan ooit omhelzen, beschermen, troosten, zo dankbaar was hij dat hij Richard niet hoefde te verraden. Overigens, zodra Juffrouw Dora, dood, aangeland is in die wolkeloze, felblauwe hemel, zal zij van daar uit alles kunnen zien, niet alleen alles wat er aan de hand is op dat ogenblik maar ook alles wat er tijdens haar leven gebeurd is, het eindeloos terugspoelen van een allesomvattende videofilm. Maarten vroeg zich toen af, drie dagen en drie nachten na de gruwelijke daad van Richard, of Richards vrouw Julia, in de hemel (want dat zij daar zou belanden was voor vijfennegentig procent zeker) straks Juffrouw Dora zou ontmoeten, tegen haar opbotsen per toeval.

Zouden de doden elkaar daar in de weg lopen? De hemel is vrij groot. Misschien dat het druk was op de goede plekken, in de buurt van Jezus, waar fosforescerende zetels staan gebeeldhouwd in de wolken.

'Ik wil het wel vertellen, Juffrouw Dora, maar dan moet ik eerst om Richards toestemming vragen en zij zullen mij niet binnenlaten in het gevang.'

'Nee,' zei Juffrouw Dora. 'Alleen de naaste familie.'

'Maar hij heeft geen familie.'

'Boontje komt om zijn loontje,' zei Juffrouw Dora ernstig als een politieagent.)

'Kom op,' zegt Richard en schuift de verroeste grendel weg. Maarten betreedt het kale hok. Waar de knabbelaartjes hebben gezeten, waar gegraas en gepiep en gescharrel te horen was, staan nu alleen beschimmelde muren met wat verschrompelde wortels, wat nat stro op de vloer. Het geruis van de beek die langs de muur stroomt.

Maarten slaat dikke spinnewebben weg, de deur valt dicht, er schijnt alleen licht door een vies ruitje met draadjesglas. Nu pas merkt hij dat Richard in het hok gebleven is en rustig tegen de muur leunt, tabak te voorschijn haalt, een sigaret rolt.

'Wij zitten alle twee in de bak,' zegt Maarten.

'Een bak waar je uit kunt, een bak zonder sleutelgat, dat is geen bak.'

'Oma zei aan tafel dat je al eens in de bak gezeten hebt. Wist mijn Mama dat?'

'Het zal wel.'

'En mijn Papa?'

'Die zeker.'

'En ze laten je op ons erf rondlopen? Ik zou nooit iemand in huis willen die in de bak gezeten heeft.'

'Je ouders zijn goede mensen.'

Richard neemt een slok van zijn pul.

'Laat mij eens drinken.'

'Alleen proeven.'

Het vocht verschroeit Maartens mond, hij houdt het nog net binnen, het is brand, hij niest drie, vier keer.

'Dat is straf,' brengt hij uit.

'De minst straffe. Een metserke. Voor de metselaars die dat kunnen blijven drinken als het vriest.'

'Drinkt Julia dit ook?'

'Nee. Onze Julia drinkt liever cognac.'

'Maar drinkt ze er zoveel van als jij?'

'Niet meer maar ook niet minder.' Richard lacht breeduit, als om een mop.

Maarten heeft Julia een keer ontmoet in haar huis, een krotwoning aan de rand van de stad. De drie stoelen en de ongeverfde tafel leken er pas neergezet. Julia's blote voeten lagen boven op een kat in een kapot sofaatje. De kachel gloeide, Julia ook. Haar stem was te rauw, te hard voor haar tengere gestalte. 'Wil je chocolade? Melk of puur?'

Toen bleek dat ze zelf de chocolade had opgegeten die middag. 'Ze is zo vergeetachtig,' zei Richard vertederd.

'Die zatlap ziet u gaarne,' zei zij. 'Veel meer dan mij.'

'Dat geloof ik niet,' zei Maarten. Neen, hij zei: 'Ik peins van niet', want zij riep meteen: 'Peinzen, peinzen, wat weet gij van peinzen af, snotter? Ik peins me hele dagen zot. Ik moet er elke dag aspirines voor nemen.'

'Een aspirine heeft nog nooit iemand kwaad gedaan,' zei Richard ongemeen teder. Hij schonk koffie uit de kan die op de kachel stond en slurpte luid.

'Maarten,' zei Julia, 'weet je dat al die tijd dat ik bij die bosaap ben, dat ik maar één keer naar zee ben geweest. Eén keer drie dagen en in die drie dagen heeft hij de zee niet gezien, is hij al die tijd in 't appartement gebleven.'

'Ge kondt de zee zien vanuit het venster,' zei Richard.

'En op een dag ga ik een uurtje wandelen op de dijk en ik kom thuis en hij zegt: 'Wel, Julia, hebt ge op mij gepeinsd?' en ik schrok ervan, ik dacht: 'Hij moet mij toch gaarne zien dat hij zoiets vraagt en ik zeg: 'Ja, Richard, ik heb op u gepeinsd, want ik peins altijd op u, als ge d'r niet zijt.' 'Wel,' zegt hij. 'Ik zeg: wel wat?' 'Wel, waar is mijn bak?' Meneer dacht dat ik op straat was gegaan om zijn bak bier te halen. Ik mag doodvallen als 't niet waar is.'

'Hoe is 't met Julia?' vraagt Maarten in het ruisende konijnehok waar honderd vliegen zwermen.

'Zeer goed.'

'Maar zij drinkt te veel.'

'Julia is een weeskind,' zegt Richard traag. 'En weeskinderen hebben meer genegenheid nodig dan anderen.

Want als zij geen genegenheid krijgen drinken zij te veel.'
'Waarom heb je in de bak gezeten?'
De zatlap antwoordt niet. Op de binnenkoer sloft iemand. Oma. Ga weg, mens, nu wij hier zo gezellig samen zijn, als twee leerlingen die gestraft zijn, in de hoek staan en naar elkaar knipogen. Maarten neemt een van de verschrompelde diepbruine penen, breekt hem middendoor, de stank is ondraaglijk. Vaak heeft hij hier de konijnen die tegen de traliedraad opsprongen gepest door een peen op 't laatst weg te rukken voor hun bezige, trillende neus.
'Ik ben in de bak gevlogen omdat ik mensen geholpen heb.'
'Daarvoor steekt men iemand niet in de bak.'
'Mij wel.' Richard neemt een slok, siddert als in een plotse koude wind. 'En ik zeg niet dat ge de mensen niet moet helpen, ik zeg dat ge er heel rap in de bak kunt voor vliegen.'
'Welke mensen?'
'Vrouwen.'
'Welke vrouwen?'
'Vrouwen die dachten dat ik als gediplomeerde iets kon doen aan hun miserie. Lokeren is een klein stadje en die vrouwen durfden niet bij hun gewone dokter. Het is een tijdje geleden, nu zijn de wetten niet meer zo streng, het is te zeggen, men ziet al eens iets door de vingers. Maar in die tijd niet. Toen zij geholpen waren vroegen zij: 'Richard, wat is mijn schuld?' En toen ik zei: 'Niets, maar let een beetje op in 't vervolg,' riepen zij: 'O, Richard, ik ga dat nooit vergeten!' En toen de politie kwam waren zij de eersten om hun vinger naar mij uit te steken.'
'Hangt er een kruisbeeld in je huis?'
'Ja. Weeskinderen zijn daarmee opgevoed.'
'Ik bedoel in het huis waar je vroeger woonde, in Lokeren?'

'Ik geloof het niet.'

'Zie je! Als je op tijd voor het kruisbeeld gebeden had, dan was dat nooit gebeurd.'

Buiten roept Oma, als een verdwaalde kwaaie kalkoen.

'Kinderen,' zegt Richard. 'Kinderen. Waarom? Omdat ge bang zijt om alleen in uw put te kruipen?'

Zonlicht plenst in de ruimte. Oma blijft op de drempel staan, in tegenlicht, maar je kan duidelijk genoeg haar grimmig gezicht zien.

'Wat dóen jullie hier? Kom eruit, Richard, d'r uit!'

Als een schooljongen naar het schoolhoofd sloft Richard in een warreling van stof en vliegen naar het licht.

'Jij ook,' snerpt Oma. Maarten duwt tegen Richards kont en glipt naar buiten, hij hoort Richard nog iets tot de oude vrouw stotteren.

O GODEN! Welke genadige God heeft haar gezonden? Meester Goossens ziet hoe Sibylle Ghyselen haar fiets tegen de erker van zijn woning zet, hoe zij haar uiteengewaaide haar schikt. Voor Liliane op de bel kan reageren snelt hij naar de voordeur. Hij kan geen begroeting bedenken. 'Ja, Mevrouw,' zegt hij als tegen een Jehovagetuige. Zij vraagt of zij hem kan spreken.

'Natuurlijk. Altijd.'

Liliane is minder onder de indruk dan Meester Goossens verwachtte. Zij leidt Sibylle Ghyselen minzaam in de woonkamer.

'Kijk niet naar de rommel,' zegt hij. Alles wat hij zegt is onwaardig. Ook: 'Het gaat om Maarten, neem ik aan.'

'Wat een engel van een jongen,' roept Liliane. 'Wij hebben er veel plezier aan!' Zij gaat ongevraagd tegenover Sibylle Ghyselen zitten met haar proletarische enkelloze benen uiteen. 'En dat háár van hem vind ik zo mooi, vooral als het pas gewassen is. Het is lang en niet iedereen is daar voor, maar ik vind dat het hem heel goed staat.'

'Meneer Goossens, zou ik u even apart kunnen spreken?'

'Maar natuurlijk,' krijt Liliane. 'Ik versta het. Ik ben zo meteen weg.' Zij verroert geen duimbreed. 'Echt geen kopje koffie? Ik heb ook décafeïné. Of een koekje? Nee? Jij, Willy? Nee? Dat is ook voor de eerste keer.'

Meester Goossens schaamt zich. Hij ziet zijn woonkamer met de ogen van de godin Cybele, de koperen kandelaars, de kroonluchter, de porseleinen vaasjes, de prullerige lamp op de vensterbank, de foto van Corry als welp.

O, waarom heeft zij haar bezoek niet aangekondigd, dan had hij haar bij de elleboog meteen naar zijn bureau geloodst waar zij zijn ware aard had ontdekt, zijn ascese, de onthechting van de ornamenten. Een zweempje van ergernis omdat zij zonder telefoontje of enige waarschuwing zomaar heeft aangebeld – iets wat zij bij de vrienden van haar man, de ondernemer, niet in haar hoofd zou halen – wordt gesmoord in vreugde, zij is er, al is het in Lilianes domein van koper, bloemetjesstof en acajou.

'Als jullie mij nodig hebben, moet je maar roepen,' roept Liliane en laat hen alleen.

Dan vertelt Sibylle Ghyselen iets schandelijks. Een beschuldiging die zo absurd is dat hij nauwelijks kan ademhalen als hij zegt: 'Dat meent u toch niet?', 'Hoe zou ik iets tegen de joden hebben?' en 'Ik kan me niet inbeelden waar deze aantijging op stoelt' en 'Ik zal dit laten uitzoeken tot op het bot. Dit is levensgevaarlijk. Hoe kan Maarten mij van zoiets betichten! Precies omdat hij de enige is die geen godsdienstles volgt waak ik er zorgvuldig over dat zijn rechten worden gerespecteerd. Wanneer zei hij dit?'

'Vanmiddag.'

Meester Goossens ziet door het raam vol oranje gedroogde regenspatjes Denijs van de groentewinkel heel traag voorbijrijden. Hij hoopt dat Denijs haar fiets, het glinsterend bewijs van haar aanwezigheid, in zijn camionette laadt.

'Als er iemand is, Mevrouw, die de hoogst pijnlijke breuk tussen de joden en de christenen betreurt, ben ik het. Zeker, men zou kunnen discussiëren over het gedrag van de staat Israël deze laatste dagen, maar er is geen sprake van dat ik tijdens de lesuren of ook daarbuiten ooit...'

'Mijn zoon,' zegt zij.

'Uw zoon,' zegt hij, 'moet ergens iets verkeerd opgevangen hebben, hij heeft zoveel fantasie.' (Hij moet gewoon een dreun tegen zijn kop hebben, dat verwende mormel.)

'En niet van u?'

'Mevrouw! Hoe durft u te vermoeden dat ik... de joden en wij... die tragische splitsing van vijandige broeders... een voortdurende kwelling in de geschiedenis...'

Zij luistert niet, maar zij gelooft hem.

'Wie dan wel?'

'Mevrouw, mag ik u verzoeken dit *entre nous* te houden, het zou mij niet verbazen als de pastoor hier iets mee te maken had. Zonder het zich volledig te realiseren uiteraard. Maar hij mag in zijn lessen wel eens kleurig uitpakken. En dat vertellen de leerlingen op de speelplaats nog kleuriger na.'

'Dan zal ik het aan de pastoor vragen.'

Meester Goossens zuigt aan een koude, lege pijp, legt haar neer met de kop op de rand van de asbak. In het voorhoofd van Sibylle Ghyselen verschijnt een verticale rimpel, als een litteken bijna. Hij wil niet dat zij weggaat. Hij vraagt: 'Heeft u een uitnodiging ontvangen voor het Cultuurweekend?'

'Nee.' Zij liegt. Hij heeft de enveloppe met het logo van het Cultuurcomité zelf getikt, haar adres deed hem huiveren.

'Er wordt in het kader van het Cultuurweekend iets van mijn hand opgevoerd.'

'Waar?'

'In de Sint Servatiuskerk.'

'Iets van uw hand?' Wil ze hem voor de gek houden, tarten?

Hij vertelt haar over zijn declamatorium. Over de repetities.

'Ik moet uiteraard roeien met de riemen die ik heb. Onze maatschappij Concordia is uitstekend bemand, maar richt zich vooral op kluchten en blijspelen. Het is een hele overgang. En het aantal rollen heb ik moeten beperken. Zo had ik om de rituelen van Cybele te verbeelden, willen beschikken over een koor van dwergen. Nu heb ik maar één dwerg, die wordt gespeeld door de kleine Mariette Verhaegen.'

'Hebt u ooit een bevroren dwerg gezien?'

'Nee,' zegt hij bevreemd.

'Ik wel. In Alaska, op een reis met mijn man.'

'Bent u in Alaska geweest?'

'Op weg naar de Verenigde Staten. Bij een noodlanding in Alaska moesten wij daar overnachten. En 's morgens lag er vlak voor het hotel een dwerg, overdekt met ijspegels.'

De omfloerste lippen laten de schaduw van een ironische glimlach door, seinen een boodschap, alleen voor hem bestemd. Meester Goossens wou zoals zo vaak, maar dit keer pijnlijker dan ooit, dat hij tien centimeter, desnoods vijf centimeter langer was, dat hij bredere schouders had, dat hij kon hypnotiseren.

'Ja, de natuur is soms wreed,' zegt hij.

Zij beweert dan dat zij blij is te horen dat hij naast zijn taak als schoolhoofd nog de tijd en de animo heeft om zich aan een hobby te wijden.

Een hobby! Hij monkelt. Maar ghequetst ben ic van binnen, Doorwont mijn hert so seer. Waarom relativeren zij toch altijd zo meedogenloos onze passies, zij, de godinnen als Cybele, de vrouwen als Liliane?

Zij zegt dat haar man geen hobby's had en dat zij dat

jammer vond. Hij was aldoor in de weer met zijn diverse zaken, allerlei vertakkingen van ondernemingen die allemaal tegelijkertijd zijn energie opeisten. Aldoor het vliegtuig naar Amerika, in en uit. Twaalf levens tegelijk.

Meester Goossens knikt. Wat weet hij te vertellen over internationale financiën? Zijn broer heeft hem verteld over gunstige investeringen in Colombia. Of was het Bolivia? Misschien kan hij vóór zij opstaat en op straat staat, snel, snel iets beweren over de voedselindustrie in het algemeen, maar wat?

'Ach, Amerika,' zegt hij.

Zij wil overeind komen, hij legt zijn overmoedige vingers, alle vijf, op haar onderarm die warm is en glanst.

'Toevallig is er vanavond een repetitie in de Sint Servatiuskerk van mijn Cybele. Waarom komt u niet eens kijken? Er is niets bijzonders op de televisie vanavond, hooguit een documentaire over Van Gogh op BRT2, maar die is gemaakt door Amerikanen en dan weten we wat ons te wachten staat, niet?'

'Wat staat er ons te wachten?'

Hij is even bedremmeld. Hij kan het uitvoerig hebben over de transatlantische cultuur die onze zenders overwoekert. Maar zij wil weg. 'Het zou alle leden van Concordia en mij in het bijzonder uitermate vereren. Als u de tijd hebt natuurlijk.'

Hij tracht uitnodigend te lachen naar de vrouw van wie het zoet muskusparfum tot hem doordringt.

'Misschien,' zegt Sibylle Ghyselen. 'Waarom niet?'

'Dan kom ik u ophalen om kwart voor acht.' Hij hoort de vettige stemmen van de stamgasten in het café De Raadskelder tegenover de Sint Servatiuskerk. 'Hé, wie stapt daar uit de auto van de meester van Zavelgem? Zijn lief, goddomme!'

'Dat hoeft niet. Ik vind het wel alleen. Hoe laat begint het?'

'Om half negen. De leden willen liever vooraf eten.'

'Misschien,' zegt zij.

Meester Goossens juicht. Hij moet bedaren. 'Mijn stuk is natuurlijk... u moet het natuurlijk benaderen als een declamatorium, het bevat elementen die, als men niet gewend is aan de stijl en als men de achtergronden niet kent... Ik bedoel, men kan het gauw bombastisch vinden, het is te zeggen, dat de gedachten en de beelden misschien te groot lijken voor de inhoud...'

Hij kan zich vergissen maar hij meent iets van Maartens arrogantie te ontwaren in haar uitdrukking, zoals de jongen soms afwezig is in de les, zich niet zozeer afwendt van de andere kinderen, het lokaal, het gedreun van de werkwoordsvormen als wel zonder een spier te verroeren afscheid neemt van hem, Meester Goossens zelf.

'Overigens,' zegt hij, 'het stuk heeft ook met u te maken.'

'Wat zegt u nu?' Aha. De heks is geïntrigeerd. Omdat het over haar gaat.

'De titel. Cybele. Mijn hoofdpersonage heet Cybele.'

'En?'

'Sibylle. Cybele.'

'Ook toevallig.'

'Ja, hè?'

'En wat voor iemand is die Cybele?'

'De godin van de vruchtbaarheid.' Hiermee oppassen. Want zo vruchtbaar is zij niet. Eén kind. En daarna? Geen zin meer? Miskramen? 'Zij is geen lief persoon, maar wel aantrekkelijk.'

'Waarom geen lief persoon?'

Hij wil Liliane wegsturen, naar de groenteboer, om tomaten, venkel, tabak, Coca-Cola en dan gauw gauw zijn gulp openen.

'Cybele was nogal autoritair,' zegt hij en grijnst.

Zijn open gulp zou op aanschouwelijk didactische wijze de rituelen van de priesters van Cybele kunnen oproepen.

'Vertel,' zegt zij.

'Als Cybele meende dat iemand haar cultus beledigd had, veranderde zij hem in een leeuw en liet hem vastbinden aan haar praalwagen.'

'Dat vonden de mannen vast prachtig. Mannen willen toch leeuwen zijn?'

'Ik niet,' zegt Meester Goossens. (Ik wel, knabbelend aan de zoom van haar jurk.)

'O, nee?'

'Haar priesters verplichtte zij zichzelf te castreren.'

'Dat gaat te ver,' zegt Sibylle Ghyselen.

'Of rond te lopen verkleed als vrouwen.'

'Hoe wonderlijk,' begint zij, haar mond lijkt voller, gezwollen, zij wil iets over dat wonderlijke vertellen, maar zij stokt. Liliane komt binnen met een dienblad waarop zijn vieruurtje ligt, twee boterhammen met kaas en Royco-tomatensoep in de porseleinen beker van Corry met het portret van Baden-Powell.

MAARTEN kauwt op een mondvol gras. Wat de dieren eten en waar zij tevreden mee zijn. Toen hij van het konijnehok naar de boomgaard vluchtte heeft hij iets gedaan dat om boete vraagt. Erger, dat om excuses vraagt. Want hij heeft: 'Val dood!' geroepen naar de moeder van zijn moeder. En zo luid dat God de vader het, zelfs in een verstrooid moment, wel heeft moeten horen. En als hij het niet gehoord had kon hij vanavond, als hij de rekening opmaakte van alle zonden begaan in Zavelgem, op een van zijn goddelijke videoschermen zien wat er zich in het hoofd van Maarten Ghyselen had afgespeeld, namelijk Oma die struikelde over een slordig door diezelfde Maarten Ghyselen achtergelaten tol, Oma die in een vertraagd gewiek van armen en reigerbenen neerkwam met haar rug recht op een aardappelmesje dat opgericht stond, een aardappelschil nog gekruld rond het lemmer. Oma die de Heilige Geest gaf. Wat zou God de vader doen? Een bliksem doen knetteren uit zijn wijsvinger, gestrekt naar de dader die in zijn bed vanavond het boek leest met een zaklamp? Of, geruisloos door de nacht zijn zoon sturen in de vorm van een zwaardvis?

'Val dood', zelfs al was het niet echt gemeend, was in ieder geval onbeleefd. Maar hoe roep je zoiets beleefd? Zoals het zwartomrand in de krant staat? 'Oma, ontslaap in de vrede van de Heer'? 'Oma, ga in alle stilte van ons heen'?

Maarten komt bij de tomatestruiken. Richards naakte voeten steken eruit, als afgehakt door de donkergroene bladeren, lange tenen vol zand. Richard snurkt zo hevig dat het lijkt alsof hij de volle gave tomaat boven zijn hoofd van de borstelige stengel wil blazen.

'Hé, luiaard, luilak, lamzak.'

Richard doet één oog open. 'Hoe laat is het?' Hij zit op zijn knieën. 'Ik moet hier al een tijdje liggen.'

'Meer dan een uur,' liegt Maarten.

'Ventje,' zegt Richard. Maarten herkent de bede, hij schudt zijn hoofd.

'Nee!'

'Toe. In de keuken in de ijskast. In twee minuutjes zijt ge over en weer.'

'Nee, Richard.'

'Uw oma zal u nooit zien. Ge zijt een rappe duivel.'

Maarten dubt. Als hij op Richards bede in zou gaan, als hij de zonde van de drankzucht zou aanwakkeren die mensen verandert in dom gevaarlijk vee, wat kan hij dan als tegenprestatie vragen?

Richard zit op zijn hurken. De tomaat wiebelt.

'Het kruis is kapot,' zegt Maarten. 'Je moet een ander maken.'

'Doe ik vandaag nog. Nou, waarop wacht ge?'

'Eerst een nieuw kruis.'

'Zo meteen.'

'En een sterker.'

'Is het andere niet te repareren?'

'Nee,' zegt Maarten en laat de brede splinter zien die hij op zak gestoken heeft als een relikwie.

'Ik maak er zo meteen een nieuw. Ga nu naar de keuken.'

'Nee,' zegt Maarten.

Richard vloekt hard en lang zoals hij dat bij de soldaten geleerd heeft.

'Doe niet zo hysterisch, man,' zegt Maarten en laat de man achter in het zand.

Richard lijdt nu pijn, maar wat is dat vergeleken met wat Juffrouw Dora lijdt, Juffrouw Dora met haar stervend lijf, bedreigd door de vrijdenkers en hun *gehoon.*

Maarten houdt de houtsplinter voor zijn neus, buigt zich ver voorover, zoemt en snelt langs de wegspringende schapen. Zijn spies, zijn zwaard, is niet scherp, niet lang genoeg, maar het geeft niet. Hij is net zo min een echte zwaardvis als Jezus een vis is. Het is een *metaalfoor.* Zoals in de gewelfde wijnkelders van Rome de Katholieken, die daar schuilden voor de politie van keizer Nero die hen naar de leeuwen wilde gooien, een vis tekenden op de muren. Om elkaar signalen te geven. De Katholieken waren de vissers en Jezus de vis, tegelijkertijd de grootste, de mooiste, de sterkste, de slimste vis van alle zeeën. De grootste? De walvis is geen vis. De dolfijn? Die is te tam, een Flipper, altijd klaar om te helpen, die kun je niet serieus nemen. De haai, ja, maar die is écht gemeen. Nee, er valt niet over te discussiëren, de edelste is de zwaardvis. Links van Maartens bank in de klas op de plaat. Glad als een onderzeeër, een stalen gestroomlijnde lange ballon, met stekelvinnen, Xiphias gladius. Zijn vlees is niet te eten, hij slaapt nooit, hij weegt duizend kilo, zijn zwaard is scherper en sneller dan dat van Zorro. Hij wordt alles gewaar, de dode vissen, de zieke vissen, de vissen met een letsel die kuchen, en dan flitst hij erheen en slokt ze op. Hij valt walvissen aan en hoewel hij nooit hysterisch is, valt hij ook boten aan waarvan hij denkt dat zij zich als walvissen vermomd hebben en dan breekt zijn zwaardpunt soms af maar die groeit bij mirakel meteen weer aan, want hij moet als de bliksem, engelachtig en beestachtig tegelijk, de zondaars en de tollenaars aan mootjes hakken. Donkerpaars in de ijskoude stromen onder zee.

Mama fietst op de weg. Mama gaat naar het terras.

En ja hoor, het gejammer van haar moeder breekt los. Maarten sluipt naar het huis.

'Zij hadden het schaamrood op hun wangen.' (Zij, dat zijn Richard en hij.) 'Ik zeg alleen wat ik gezien heb, Sibylle, zij waren betrapt, ik voelde dat meteen. Sibylle, je hoort niets anders tegenwoordig dan over kinderen die lastig gevallen worden en het komt pas jaren later uit.'

Hij kan Mama niet verstaan. Zij zal haar moeder weer gelijk geven.

Pas een uur later glijdt hij het huis binnen en vindt hij Mama in haar slaapkamer. Zij zit op de rand van het bed dat Papa speciaal voor haar heeft laten maken de eerste week dat zij getrouwd waren. Ingespannen, voorovergebogen wrijft zij met strelende bewegingen over haar benen met een elektrisch tevreden egaal brommend doosje dat haartjes uittrekt. Zwarte stofdeeltjes vliegen over het witte laken, stipjes van de fijnste viltpen.

'Je hebt mij mooi voor schut laten staan,' zegt zij zonder opkijken. 'Meneer Goossens was er het hart van in. Je hebt dit allemaal verzonnen na die dwaze Quo Vadisfilm.'

'Zo heette die film niet.'

'Om het even. Dat je je moeder zo voor schut kunt zetten. Maar ik zal het je betaald zetten, wacht maar. En ga nu maar uit mijn ogen.'

Hij verroert zich niet. Hij staat met één voet op de open lade van de spiegelkast waarin allerlei satijnen frutsels liggen. Zij doet alsof ze hem niet ziet. Zijn ogen branden. Hij mag niet spreken. Juffrouw Dora mag niet gemarteld worden tijdens haar leven. Ongehinderd, blij, moet zij naar de eland gaan, onbesmeurd door zijn verraad. Mama gaat naar de badkamer. Hij volgt haar. Hij gaat op de wc-bril zitten terwijl zij in de spiegel kijkt, haar kin betast, haar wimpers met olie insmeert, oorbellen past en weer opbergt, haar hals poedert, en er een onbekende vrouw ontstaat, met holle wangen, slanker en langer in haar glimmende beige onderjurk, onzeker wiegend op schoenen met hoge hakken, die zegt: 'Wat is dat met jou en Richard? Oma zegt dat jullie samen in het konijnehok zaten.'

'Oma is een heks.'

'En jij bent een doortrapte leugenaar.'

'Mama.'

'Ik heb geen zin om me nu met jou bezig te houden. Ik wil niks met leugenaars te maken hebben.'

Verdoemde tranen. Hij ritst wc-papier af, doet alsof hij zijn neus moet snuiten, bet, van haar afgewend, zijn ogen.

'Komt Richard soms aan jou? Trekt hij zich tegen jou aan? Als om te vechten?'

'Nee.'

'Nooit? Doet hij niet iets anders dat je niet durft zeggen?'

'Nee.'

'Je bent niet van hem weg te slaan de laatste weken.'

'Richard is een goed mens. Het is waar dat hij in het gevang heeft gezeten maar dat kwam omdat hij vrouwen heeft geholpen.'

Zij houdt op met haar haarwortels te onderzoeken.

'Omdat er in het stadje waar hij woonde een vrouwenziekte is uitgebroken. De vrouwen konden niet meer lopen, zo zwak waren zij en uitgeteerd, zij konden de trappen van het hospitaal niet meer op. En hij heeft ze genezen met medicamenten die voor dieren bestemd zijn, waar hij alles van af weet en omdat dat niet mag bij mensen hebben zij hem aangehouden. Terwijl die vrouwen gezonder werden dan ooit!'

'Maarten, hij is veroordeeld omdat hij zorgde dat die vrouwen geen kinderen kregen.'

'Wilden die vrouwen geen kinderen?'

'Nee. En hij kon dat met een, een ingreep regelen.'

'Nou, en dan.'

'Wat en dan?'

'Zij wilden die kinderen toch niet? Als je je kind niet gaarne ziet of als je denkt dat je je kind als het groter wordt niet gaarne meer zult zien, dan kan je toch beter geen kind krijgen.'

'Er zijn wetten...' zegt Mama, maar Oma komt binnen, zuchtend, met stapels badhanddoeken in haar schriele armen. Zij zegt dat mannen die gestudeerd hebben op kosten van het land en dergelijke praktijken uitoefenen allemaal meteen op de elektrische stoel moeten worden gezet.

'Welke praktijken?'

'Dat hoor je wel als je groter wordt.'

'Moet Richard op de elektrische stoel?'

'Geen uitzonderingen, geen politiek gekonkel, direct een proces en afgelopen.'

'Moeder,' zegt Mama. Zij trekt een witte zijden jurk aan, loert tersluiks, als bespied, in de spiegel. Als je alle uren zou optellen dat vrouwen in de spiegel kijken, heb je de lengte van het leven van een kind van zes. Waar gaat Mama naartoe? Waarom kondigt zij niet van tevoren aan dat zij de deur uitgaat voor een hele avond, zodat hij zich daarop kan voorbereiden? Maarten laat zich midden in het grote bed vallen waar hij een jaar geleden, nee minder, nog tegen Papa aan mocht liggen 's zondags, een warme, behaarde Papa die luisterde naar de Taalstrijd op de radio en het soms uitgierde. Maarten lachte soms mee om Papa plezier te doen. Wat valt er te lachen om woorden die van betekenis veranderen, woorden die op elkaar lijken en daardoor bespottelijk worden? Maarten kan niet lachen om dingen die veranderen, zoals dit bed dat veranderd is sedert Papa er niet meer in ligt.

'Oma, op welk metaal zit je warm als het koud is?'

'Maarten, mijn hoofd staat daar niet naar.'

'Een elektrische stoel!'

Zie je wel, de twee vrouwen lachen ook niet. Jezus lacht nooit, tenzij heel stilletjes tegen de kleine kinderen die naar hem moeten komen. En het zijn nooit zijn woorden die veranderen, maar hij zelf, in een vis, in brood, enzovoort. Hij is ook een wijnstok, wat dat ook moge betekenen.

'Waar ga je naar toe, Mama?'

'Dat gaat je geen bal aan.'

Maarten slentert naar de trappengang en schiet dan onhoorbaar, als in het diepste water tussen grotten, naar de keuken. De twee vrouwen zullen nog een tijdje bezig zijn, Oma met kankeren, en Mama met zich optutten.

Uiterst behoedzaam trekt hij de provisiekast open, de deur piept, hij houdt zijn adem in, maar er komt geen geluid van boven. Hij vindt suiker. Het probleem is alleen: welke suiker? Kristalsuiker glijdt lekker maar lost misschien niet zo gauw op. Bruine suiker kan men beter op die afzichtelijke matses doen. Poedersuiker wordt het, geschikt voor aardbeien, wafels en voor wraak. Van een pagina van *De Standaard* vouwt hij een vormeloos puntzakje, hij giet er feilloos de suiker in, sluit de bokaal. Op de toppen van zijn tenen over het zwarte arduin en dan voorzichtig tippelend naar de garage. Hij meent ver weg, in het tomatenveld, Richard te horen snurken. Hij gaat naar de BMW, opent het klepje. Hij schroeft makkelijk de benzinedop los. Zo meteen duchtig zijn handen met zeep schrobben vanwege de geur. De wraak volbracht, loopt hij kaarsrecht, wijdbeens, met gespreide handen naast de twee revolvers op zijn heupen, naar de schapen, zoals Clint Eastwood die nooit kinderen heeft in een film (net als Jezus), maar die wel – en dit heeft Maarten nageteld op de vertraagde, stopgezette video – zeven- of achtenveertig doden achterlaat in *Een handvol dollars*.

EEN TIENTAL METERS vóór de heuveltop vanwaar zij de stad zou kunnen zien, de kerktoren van Sint Servatius, de schoorstenen van Olympia, begeeft de BMW het. Sibylle draait verwoed aan de contactsleutel, duwt op het gaspedaal, vijf minuten lang.

('Je kunt toch gewoon leren hoe een auto functioneert. Bestudeer gewoon het diagram,' zegt Gerard.)

Zij vindt in het dashboardkastje een halve reep chocola. Puur. Maarten lust geen melk. Zij zou naar huis kunnen lopen. Drie kwartier. Natuurlijk komt er geen auto voorbij. Zaterdag. Zonder benzine? Het lampje brandt niet.

De schaduwen over het land worden diepblauw, als geverfd. Ver weg tegen de horizon is Gerards linde te zien, met zijn kroon als een buitensporige parasol. Twee boerinnen komen langs, groeten niet, denken dat zij op een minnaar wacht, op een beurt in de auto. Zij zal 'Cybele' later zien, de priesters die zichzelf ontmannen, als vrouwen rondlopen.

Eigen schuld. Dikke bult.

(Gerard zei: 'Een kind kan het leren. In een paar uur kan een kind leren hoe een auto in mekaar steekt.'

'Ik ben geen kind.'

'Dat is geen antwoord.' Hij werd driftig, hoogrood. Zo zag zij hem het liefst. Hulpeloos van kwaadheid. Voorbij de grens van zijn koude, zijn haast, zijn beheersing. Tegenover de duffe dagen op het platteland, de eentonige seizoenen, de lome dieren, waarin alleen het opgroeiend kind een tegenritme vormde, waren zijn schaarse uitbarstingen de ogenblikken waarin zij voelde dat zij leefde.

Wat zij wou, en wat zij in het kwadraat gekregen heeft, waren breuken, scherven, de openbaring van een andersoortig versplinterd licht waarvan je de bron niet zag, zoals de weerkaatsing op die bewuste nacht van het lampje naast het bed in het grote opengevallen spiegelpaneel van de kleerkast.

Zij waren samen naar het Bal van de Burgemeester geweest.

Zij had, tegen zijn zin, haar nachtblauwe zijden smoking aangetrokken.

De dames hadden pisnijdig en bewonderend uitgeroepen hoe elegant, hoe sjiek, hoe jong zij eruitzag. Gerard had dit beaamd terwijl hij bedaard loerde naar kennissen die hem iets konden vertellen over de mogelijke gevolgen van de links-liberale coalitie van het nieuwe stadsbestuur. Later dronk hij, zeer ongewoon, overmatig veel champagne. De coalitie was blijkbaar gunstig. Hij babbelde opgewonden, maakte gewaagde complimentjes aan de dames. Ook zo zag zij hem het liefst, omdat hij niet, zoals gewoonlijk, handelde alsof hij alle dingen, de meest onvatbare, verwisselbare, vluchtige en toch precieuze dingen begreep en beheerste.

In de Porsche zong hij luidkeels mee met de autoradio en toen hij uitstapte was hij dronkener dan zij hem ooit gezien had. Zij moest hem de trap naar de slaapkamer opduwen. In de kamer zei zij: 'Kniel, kniel, voor je meesteres!' en hij deed het, met een imbeciel, onmondig geschater en klauwde naar haar enkel. Zij stapte opzij. 'Ga op het bed liggen,' beval zij toonloos. 'Ogen dicht, slaaf!'

Begreep hij toen al wat in haar opgeweld was als een openbaring, als een onwezenlijke maar dringende oplossing voor hun leven samen dat geënt was op de duffe, eentonige seizoenen? En indien hij het begreep, waarom verzette hij zich niet en hield hij zijn mond? Zij deed het plafondlicht uit en de lamp van het nachttafeltje aan. Zij scharrelde gejaagd in de onderste lade van de kleerkast en vond er kousen, kousenophouder, gordeltje, en met bonkend hart dacht zij: Wat een geluk dat hij slank is, dat ik geen onmogelijke, oneigene aanpassingen moet bedenken. Zij gooide wat ze verder uit haar kast vergaarde naast zijn gezicht dat samengefronst was in een lieflijke grijns zoals nooit overdag, zoals nooit in hun tijd samen, een masker waarvan alleen de kaakspieren bewogen toen hij haar vingers over zijn hemd, zijn schoenen en toen over zijn naakte lijf voelde. 'Ogen dicht,' fluisterde zij, wat onnodig was want hij gehoorzaamde. Zij tilde hem bij zijn schouders op, zette hem overeind om de haakjes van de bustehouder vast te maken.

'Stil,' zei zij alhoewel hij geen geluid gaf. Omdat zij meende dat zijn gehoorzaamheid grenzen kende bond zij, ongeduldig nu, een satijnen Indiase sjaal voor zijn ogen en maakte toen, bezig, bijna dartel haar huiswerk af met haar blonde pruik van zeven jaar geleden, de gouden oorclips, de laag *Ruby-red* over zijn trillerige mond even zorgvuldig aangebracht als bij haarzelf, de pancake die de moedervlek op zijn schouder dekte, het zwartkanten broekje dat haar geluidloos deed proesten, het netwerk van het gordeltje absurd nauw en snijdend in zijn bekken waardoor zijn heupen uitstulpten, de gouden sandalen die te klein waren, zij perste er zijn opgekrulde tenen in en snoerde de riempjes hard aan zodat hij knorde en ten slotte, als een bijgedachte, drapeerde zij een doorschijnend paars tuniekje dat tot zijn navel reikte.

Toen, als een bruidegom, trok zij hem uit bed, haar handen waren even klam als de zijne, door de toch nog te bruuske beweging scheurde de mouw van het tuniekje, en toen leidde zij hem voor de spiegel zodat hij in zijn zonderling geheel te zien was terwijl zij zich achter hem verborg, een weerloos geblinddoekt wezen dat hij nooit geweest zou zijn zonder haar ingreep, haar schepping. 'Je bent mooi,' zei zij. Zij was doodmoe alsof zij drie kwartier heuvels op en af had gelopen. 'Heel mooi,' zei zij. Buiten was het gegraas van de schapen te horen. Ook een duif op het dak. Toen knoopte zij de blinddoek los die nat was van het zweet. Zij dacht dat zij zijn ogen had moeten schminken. Zij schikte achter zijn rug de blonde klissen.

'Nee,' zei hij stilletjes. 'Nee, Sibylle.'

'Toch wel,' zei zij. 'Waarom niet?'

Hij stootte een rochelgeluid uit alsof hij zou overgeven.)

Een dikke mist vlot snel over het dal, overgewaaid uit de bossen. Sibylle heeft het koud. Toen heeft zij hem verloren in het matte oud-gouden licht dat weerkaatste in de spiegel. Zij heeft hem nooit gehad. Waarom is zij ooit met hem getrouwd? Omdat hij goed kon tennissen, dansen? Omdat Lieve en Astrid hem aantrekkelijk vonden? Om de zwierige kracht waarmee hij over zijn fabrieken regeerde, dezelfde kracht waarmee hij haar die nacht sloeg tot hij zijn tennishand verzwikte?

De dag daarna reden zij naar Hasselt omdat zij bij de notaris een volmacht moest tekenen, een van zijn ondoorgrondelijke transacties. Zij hadden de hele ochtend geen woord gewisseld. Hij bléef voor zich uit kijken, scheerde langs uitdagend slingerende vrachtwagens, zijn knokkels in de halve handschoenen papierwit.

Zijn wrok en zijn beklemming kropen naar haar over, als de tentakels van een kwallig en tegelijkertijd harig dier. Zij wou uit de auto springen, onder de vrachtwagens die suisden met het geluid van de branding.

'Toe nou, jongen,' zei zij. 'Kan je dat niet gewoon vergeten? Het was een bagatel, een spelletje.' Zij verloochende haar triomfantelijk huiswerk.

'Ik wens niet langer met jou te spreken.'

'Maar wat heb ik misdaan? Het was toch niet bedoeld om jou te kwetsen!'

'Jawel. Het was om mij uit te lachen. Zoals je dag in dag uit doet. Ik ben niet van plan nog langer mijn leven te vergallen met iemand die mij zo minacht.'

Zij minachtte hem toen.

'Val dood,' zei zij.

'Je hoort wel van mijn advocaat,' zei hij toen Hasselt in zicht kwam.

MEESTER GOOSSENS steekt zijn hand in de lucht als een politieagent, de andere hand spreidt hij over zijn gezicht. De mannelijke leden van Concordia stoppen, ongelijk, onmelodisch midden in de rei.

'Heren,' zegt Meester Goossens, 'de confrontatie met de totale onbenulligheid bezorgt mij ondraaglijke hoofdpijn. Tien minuten pauze.'

Concordia is er stil van. Hun leider is niet in zijn gewone doen. Hij nukt. Zijn assistente, Mevrouw Veremans, werd al afgeblaft, de pianiste kreeg ook een snauw.

Meester Goossens gaat naar de zijbeuk die ingericht is als bar, naar de tapkast die op een vloer staat waarin marmeren en arduinen grafzerken verzonken zijn van zeventiende-eeuwse prelaten. Hij sipt van zijn Pale Ale en leest: Biet voor de Siel van den Eerweerden Here Baeckelant.

'Kind, waar ik trek in heb is een rolmops,' zegt hij tegen Mevrouw Veremans.

'Met uitjes, Meester?'

'Met buitensporig veel uitjes.' Hij ziet dat zij bij het portaal met een drietal dames confereert ('Artiesten zijn onberekenbaar.' 'Zij zijn niet zoals wij.' 'Eigenlijk zijn zij als zwangere vrouwen.' 'Haast u, Mevrouw Veremans.').

Hij schrokt de rolmops in twee happen naar binnen. De godin is niet gekomen, zal niet meer komen, dan mag haar verstoten priester uitjes eten. Toch zei zij: 'Waarom niet?' en richtte pal haar heldere betekenisvolle blik op hem. Zij bedoelde dus het tegenovergestelde. 'Waarom zou ik?' Eens te meer heeft hij zich laten vangen door een etiquette die hij niet kent. Zoals, wanneer iemand van haar soort op een bepaalde toon zegt, 'Je moet beslist eens langs komen', je je vooral niet moet melden. Men zou over deze materie een spoedcursus moeten geven op de Normaalschool. Zij zei ook: 'Hoe wonderlijk...' en wou iets over haarzelf kwijt dat eveneens wonderlijk was.

Waarom was zij er niet, is zij er niet? De repetitie begint weer. Hoe stuntelig fladderen zijn verzen onder de kruisgewelven, zonder ritme, zonder melodie! Hij kan scanderen, versvoeten beklemtonen, de maat slaan tot hij omvalt, dit wordt de flop van zijn leven.

De gouverneur zal na tien minuten opstappen. Naar de auteur wuiven op zijn goedlachse, plebejische manier en de plaat poetsen.

De godin zegt: 'Goossens, is het om dit benedenmaats gejengel dat ik door weer en wind naar jou toe moest komen? En wil je je stinkadem naar iemand anders richten?'

'Nee, nee, en nog eens nee,' gilt Meester Goossens. Hij scharrelt zijn script, zijn regieboek, zijn schrift met aantekeningen, zijn Encyclopedie van de Klassieke Oudheid en zijn authentieke negentiende-eeuwse tabaksblaas bijeen.

'Wij doen toch ons best,' zegt Koeck, de loodgieter.

Meester Goossens brult: 'Als dit jullie best is dan vergeten we best dit hele declamatorium en kan wat mij betreft het hele Cultuurweekend de pot op.'

Hij stapt door de waaiervormige ruimte en wuift hen toe: 'Adiós!' Het weergalmt. Hij vangt het gemurmel van Concordia op. Opstandig? Verdrietig? Vol ontzag? ('Wat een temperament!' 'Hij doet mij aan von Karajan denken, zo egocentrisch.')

Buiten overweegt hij of hij niet naar Sibylle Ghyselen zal telefoneren. Maar hij heeft Maarten op de speelplaats horen vertellen dat zij thuis een antwoordapparaat hebben. Zijn stem die, of hij het wil of niet, onderdanig, zelfs smekend zal klinken, kan op de band ooit als bewijs gebruikt worden. 'Dit is niet aan te bevelen, Willy,' zegt hij en beklimt zijn Solex.

In de verte glimmen de lichtjes van Zavelgem. Hij zou eventjes in De Gouden Haan kunnen binnenslenteren. Kaartspelen of een partijtje vogelpik. Het zou leerzaam zijn. Tenslotte moet je je oor te luisteren leggen bij het idioom van het volk. Dat deed Shakespeare vast. Maar vanavond niet. Dit is de avond van de godin, ook al is zij niet verschenen. Hij zal haar bij het uitgesteld relais van de etappe Gap-Briançon gedenken.

Dan ziet hij haar auto staan, een verlaten sierlijk silhouet met de linkervoordeur wijd open. Ligt zij gewond, vermoord in een sloot? Hoe zal hij haar dan op zijn Solex naar het ziekenhuis in de stad kunnen brengen? De sleutel zit niet in het contact. In het dashboardkastje liggen sigaretten, Tampax, een halve verschrompelde appel, aan elkaar geplakte zuurtjes. Werd zij uit de auto gesleept door een paar gastarbeiders? Hij durft niet meer te bewegen. Maar hij kan hier ook niet blijven. Elk ogenblik kunnen flashes aanflitsen, kan een meute reporters van *Het Laatste Nieuws* te voorschijn springen. 'Schoolhoofd bij het lijk van verkrachte vrouw.' Doodsbang cirkelt hij rond de BMW. Hij vindt naast een wiel een propje, een wikkel die naar chocolade ruikt. Koud zweet loopt over zijn wangen. Hij rent naar zijn Solex, trapt als dol op het pedaal.

Het huis en de bijgebouwen van de Ghyselens doemen op in de witte mist. Boven de voordeur schijnt waterig licht. De Solex knarst. Op de eerste verdieping niest iemand. Gesnuif en dof getrappel in de boomgaard. De ongemeen schrille bel.

‘Meester Goossens,’ zegt zij, niet verwonderd, in een Arabisch gewaad, met nat achterovergekamd haar.

‘Ik dacht, ik dacht,’ zegt hij haastig. ‘Dat er iets gebeurd was. Met u. Ik zag uw auto staan.’

Zij trekt de deur verder open, nodigt hem uit in de hall die hij zich majestueuzer had voorgesteld. Het behangpapier met lelies bevalt hem niet. Zij spreekt stilletjes en kalm. ‘Mijn auto heeft mij in de steek gelaten. En u maakte zich zorgen om mij? Wat allerliefst.’ Door een open deur is een wijde kamer te zien met brede lederen zetels en Oosterse tapijten op een zwarte arduinen vloer, een televisietoestel dat aanstaat zonder geluid.

‘Heeft u op mij gewacht?’ fluistert zij.

‘Natuurlijk. Wij hebben allemaal op u gewacht, ik in het bijzonder.’

Hoe haar gezicht te omschrijven in zijn opus voor het Cultuurweekend volgend jaar, dat geen declamatorium zal zijn maar waarschijnlijk een moderne moraliteit? Als na een immens verdriet, wanneer er geen tranen meer over zijn.

‘Ik kan u niet binnenvragen, want Maarten slaapt heel licht de laatste tijd.’

‘O, maar ik ga al. Ik wou mij alleen vergewissen of...’

‘Hoe verliep de repetitie?’

‘Ach,’ zegt Meester Goossens. ‘Ach, Mevrouw.’

‘Wacht.’ Zij laat hem staan. Op de tv verschijnen reusachtige zonnebloemen.

Zij komt terug met een knots van een lantaarn. Zij loopt beslist, gewend dat men als een schoothond van een schoolhoofd achter haar aan trippelt, naar een zijgebouw waarvan de onderste helft van de muren verscholen gaat onder bergen stro, en waarvan de zichtbare vakken tussen de kepers niet bepleisterd zijn met leem, zoals het hoort, maar met witgekalkte cement. Folklore van een halve cent. Hij zal haar het laatste nummer van *Tijdingen voor Heemkunde* sturen. Anoniem. Zij richt de lamp op een miserabel gerestaureerde eiken deur en dan gaat het licht aan in een verbouwde schuur waar Chesterfields staan, een antiek bureau, een biljart met verwarmingsinstallatie, een reusachtige kapstok gemaakt van geweien.

'Gaat u zitten.'

Hij laat zich met een schetterend geluid vallen in een van de Chesterfields.

'Vertel me,' zegt zij.

'Er is zoveel te vertellen,' begint hij vermoeid, maar bedenkt dat hij in de sfeer van de Concordia-repetitie is blijven steken. Opgewekt roept hij:

'Speelt u biljart?'

'Mijn man.'

' 's Avonds na zijn werk?'

'Drie keer per week met zijn coach.' Zij schuift een paneel in de houten wand weg, waarachter zich een metalen rek vol geluidsapparatuur bevindt. Ook een plank met flessen. Een koelkastje. Een honderdtal CD's.

'Wat praktisch,' zegt Meester Goossens. Zij vraagt wat hij wil drinken. Overmoedig zegt hij: 'Hetzelfde als u.'

'Whisky dan,' zegt zij. Zij drukt een knop in. Als hij het niet gedacht had. Satie. Een achtergrondmuziek van commercials voor hondebrokken, bronwater. Het gerinkel van ijsblokjes.

'Gezondheid.'

'Shalom,' zegt Meester Goossens. Prerafaëlitisch ziet zij eruit, zou zij eruitzien met bloemenkransen in haar haar, gedrapeerd in brokaat.

Zij luisteren naar Satie, riedeltjes, ijspegels.

'Ik meen Ciccolini te herkennen,' zegt hij. 'Persoonlijk

vind ik hem nogal slordig, zeker als je hem vergelijkt met Reinbert de Leeuw.'

'Schei toch uit, man.'

Zij gaat op de rand van het bureau zitten, zij laat ijsblokjes in haar vierkante zware kristallen glas rinkelen.

Meester Goossens bet zijn hoofd met zijn zakdoek, gelukkig een schone. Lieve Liliane.

'Ik heb nagedacht, Mevrouw. Over de situatie. Onze Maarten bevindt zich duidelijk in een identiteitscrisis. Het pervers-polymorf stadium waarin de ontvankelijkheid maximaal...'

'Alstublieft. Niet over Maarten.'

Hij moet plassen. Hij mist zijn pijp.

'De repetitie ging niet naar uw zin, heb ik begrepen,' zegt zij.

'Een declamatorium stelt grote eisen. Er is weinig thematische structuur en voor een lyrisch drama als het mijne dat het gewone referentiekader mist...'

Een plofje. Haar sandaal die op het tapijt valt. Haar teennagels zijn parelmoer gelakt.

'Is het toeval dat Cybele klinkt als Sibylle?' Hoe zij haar eigen naam uitspreekt, vertrouwd en toch proevend.

'Sibylle heeft ook de twee i's van Willy.'

'Willy?'

'Mijn voornaam. Een toeval, vraagt u? De wereld lijkt op toevalligheden te berusten en op noodzaak, als men evenwel de dingen nauwkeuriger onderzoekt...'

'Zoals u doet?'

Zij lacht hem uit. Hij verheft zijn stem. De whisky werkt. 'Wij zijn geen beesten, overgeleverd aan het toeval.'

'Toch wel,' zegt zij hees.

Hij verheft zijn stem tot een gesmoorde kreet. 'Als het

zo is, als u dat werkelijk meent...' Hij schuift uit de sofa met hetzelfde kleffe geluid als daarnet en knielt, zakt verder voorover tegen haar been dat hij met kussen en likjes overlaadt. Zij spreidt haar armen en tilt de panden van haar witte zijden djellabah op en legt ze over zijn hoofd en schouders.

'Wil je mij niet zien?'

Zij schrikt van de kwelling in de stem onder haar.

'Jawel,' zegt zij. 'Zeker. Maar nu niet.'

Zijn rasperige wang wrijft langs haar dijen, klimt hoger.

'Je mag aan iemand anders denken,' zegt de lage, gepijnigde stem.

'Niet meer spreken,' zegt zij met haar ogen dicht.

HET WAS ZOVER. Vroeger, in de jaren van zijn vrij onschuldige, overzichtelijke heerschappij over het goed en het kwaad in zijn stadje, had de commissaris nu, zonder enige schroom voor de gearresteerde, want die was zover, tot Lippens gezegd: 'Zie je, Lippens, hoe je ze murw krijgt. Geduld. Je moet leren vissen, man, de beste training.'

De man vóór hem had een kobaltblauwe glans over zijn gezicht gekregen, zijn doorschijnende oren waren zelfs lichtviolet.

'Een druppeltje. Dat is toch niet te veel gevraagd. Eentje maar.'

'Dat zal voor een andere keer zijn, vriend.'

'In Het Krieksken op de markt, als de kiekens tanden hebben,' zei Lippens.

'Ik zal nooit meer in Het Krieksken op de markt geraken.' De man sloeg naar muggen die er niet waren (die opzwermden uit een berg geurend, dampend stro).

'Zijn er in je familie gevallen van vallende ziekte?' vroeg Lippens.

Maar de man antwoordde niet.

'Als advocaat is Simoens uit de Hoogstraat niet zo kwaad,' zei de commissaris. 'Die maakt vast een speciaal prijsje voor je. Zal ik hem bellen?'

'Het is de moeite niet.'

De commissaris keek voor het eerst in lange tijd op zijn horloge, trok aan zijn manchetten tot ze even breed waren. 'Ik wil er een serieuze pint om verwedden dat je levenslang krijgt.'

'De dood,' zei Lippens. 'Geen twijfel aan.'

'Ik heb het recht om te liegen,' zei de man kribbig.

De commissaris bekeek zijn aantekeningen. 'Weet je wat mij dwarszit? Niet dat je liegt, maar dat je iets zeer bepaalds verzwijgt en wel dat bepaalde gat in de tijd. Want je bent na Het Roosje, de Rustica, Margriet, recht naar huis gegaan? D'r is daar een gat. Je bent niet direct langs de grote baan gegaan. Misschien ben je met je zatte kloten in slaap gevallen in een korenveld, dat zou kunnen, maar dat zég je niet. Nu is het je recht om dit te zijner tijd, na gekonkelfoes met je verdediger, te vertellen, maar je kent mij al een beetje, ik wil wéten.'

De tong kwam te voorschijn, ver buiten zijn lange, sterke tanden. De tong was ook violet.

'Nu zou het ook kunnen dat je, nadat je als laatste bij Margriet was (waarover ik haar overigens nog moet aanspreken, want er zullen genoeg klanten zijn om te getuigen dat zij jou in je poepeloerezattigheid nog vier, vijf, zes druppels ingeschonken heeft), dat je gewoon teruggekeerd bent op je stappen. Naar het dorp. En dan moet je langs de villa van de Ghyselens voorbijkomen.'

'Ik wilde mij nog ophangen,' zei de man. 'Aan de grote boom van Meneer Gerard. Maar ik had geen koord.'

'Je had je broekriem kunnen nemen.'

'Daar heb ik niet aan gedacht.'

'Je zou ons iets wijsmaken, jij!' riep Lippens monter.

'Maar waarom wilde je je ophangen? Tot op dat moment had je nog niets misdaan.'

De man gromde iets, richtte toen ook voor het eerst sinds lang zijn turkooizen wijde ogen op de commissaris, die dacht: 'Het is zover. De overweldigende begeerte naar overgave wint het.' Hij haalde uit zijn bureaulade een zakfles Balegemse jenever, 35 procent, schroefde het dopje los en reikte het de man aan. Deze nam drie grote slokken, wreef over zijn lenden, hield het flesje op zijn schoot geklemd.

'Als uw agent weggaat zal ik spreken,' zei hij.

'Als het dat maar is,' zei Lippens. 'Als je mij nodig hebt, commissaris, ik ben aan de overkant.' Hij tikte nog bemoedigend op 's mans schedel. 'En doe je best.'

De commissaris drukte REC in op de taperecorder die in zijn bureaukast was ingebouwd. Vanavond zou hij de cassette aan zijn vrouw in bed laten horen. Zij zal er ademloos naar luisteren. ('Het is het enige plezier dat mij nog rest. Het gevoel dat ik een beetje met jou meeleef, Dirk.')

(Een verbazend kalme stem.) 'Ja, ja, zoals ge zegt, op mijn stappen terug. Langs het veld van boer Romein. Zoals ge zegt. Niet direct. Waarom? Er zijn zoveel waaroms. God zendt de mens wat de mens kan verdragen. Maar die ene waarom? Ik zal d'r op komen. Terug op mijn stappen en zoals ge zegt: langs de villa. Alleen is het geen villa. Zij noemen het hun boerderij. Ook al lapt ge het op voor miljoenen, het blijft een boerderij. Denken zij. – Waarom? Omdat ik thuis Julia niet wilde wakker maken, geen kabaal hebben. Niet dat ze kabaal wil maken, mijn Julia, maar zij drinkt te veel en ook dat is mijn schuld. Zij kan beter met mij meedoen, zegt zij. Anders is zij zo alleen. Daar is iets van. Zij heeft het ook altijd koud. Richard, het tocht. Richard, ge hebt de voordeur niet dichtgedaan, moeten de buren alles horen? Wat is er te horen, dwaze kont? Dus ik dacht dat ik beter in de schuur kon gaan slapen, zodat ik 's anderendaags fris direct aan de slag zou kunnen bij de eerste zon. Bij de eerste zon.'

(Geluid van een straaljager, geroezemoes van agenten in de gang.)

'En ik zie licht in de kamer van Meneer Gerard. Ik

dacht dat de kleine daar rondspookte, dat was raar, want hij moet zijn nachtrust hebben. Vooral omdat er niemand in de kamer van Meneer Gerard mag komen. Er wordt om de twee dagen gestoft en gedweild door Irene. Omdat ge nooit weet of Meneer Gerard niet op 't onverwachts terug zal komen. Ik was zeker dat het de kleine was, want hij doet raar de laatste weken, het is al Jezus en Christus dat de klok slaat.'

(Geluid van een deur. Een jonge agent zegt: 'Pardon.' De hoge meisjesstem roept: 'Kan je godverdomme niet kloppen?' – 'Pardon meneer de commissaris.')

'Waarom? Om de kleine. Anders was ik meteen naar de schuur gegaan. Maar er was dat licht. Anders was ik er niet heen gegaan, naar de verdoemenis.'

(Gehoest.)

'Ik hield me vast aan de bomen. Van boom tot boom. Langs de schapen. Er was een spleet in de gordijnen. Vandaar dat licht. Zij hadden het licht beter uitgedaan, er was maanlicht genoeg. Zij hoorden mij niet. Op geen moment. Ik denk dat ik weet wie die vent was, maar ik ga er niet op zweren, ik ga geen onschuldigen of schuldigen met mij naar de dieperik slepen. Zij waren bezig, wat is daarover te zeggen? Het is altijd hetzelfde. Voor iemand die het door een spleet in de gordijnen ziet is het hetzelfde, voor wie het doet is het dat niet, tenminste dat denk ik niet. Ge kunt dikwijls denken en doen alsof het de eerste keer is. Ik ben blijven kijken. Zij was rood als een tomaat. Ik wilde weg en niet weg, vooral dat ik...'

(De meisjesstem, lager dan daarnet: 'Vooral wat?')

'Dat ik er helemaal raar van werd. Wat mij niet gebeurd is, in geen jaren. Al adieu gezegd aan het spel. Adieu en merci, niet voor mij, bedankt, liever niet. En dat ik er beschaamd voor was. Want ik mag haar, Madame

Sibylle. Ik zou d'r nooit een hand naar uitgestoken hebben, maar op die moment wel. Op die moment, het is lelijk om te zeggen, meneer de commissaris, maar ik zou op een schaap gesprongen zijn. Beschaamd, jazeker, beschaamd maar ook de ruit willen inslaan en met een voorhamer in de kamer een ongeluk doen. God zendt wat we kunnen verdragen, maar dat ging over de schreef van het verdragen. Ik heb die twee dan maar gelaten. In het stro nog naar een zeel gezocht, maar ik was te zat. Nog geprobeerd om op mijn fiets te kruipen.'

(Geluid van twee auto's met elk een luidspreker, de verkiezingscampagne.)

'Naar huis gegaan.'

('Langs de grote baan?')

'Ik zou er geen eed op doen. Thuisgeraakt, dat is alles.'

(Een straaljager. Een radio, Adamo.)

'Zij was niet content en ik moet zeggen dat ik. Dat ik...'

(De man schreit.)

'... dat ik niet opgelet heb. Anders doe ik al eens mijn schoenen uit, probeer ik niet tegen de stoelen te botsen, er zijn er maar drie, maar toch is het opletten. Maar nu heb ik een schop tegen de kachel gegeven, een stomp tegen de kast, op de deur van de slaapkamer getrommeld. Zij heeft geen woord gezegd, alleen koffie gemaakt.'

(De man snuit zijn neus, schraapt zijn keel.)

'Ik heb altijd mijn geld afgegeven. Haar altijd gerespecteerd. Ook als zij tegen mij uitviel. Omdat zij een weeskind is en nooit iets geleerd heeft. Altijd gaarne gezien. Op mijn manier. Niet als andere mannen hun vrouwen. Omdat ik geen man meer ben. Meer was. Uitgenomen vannacht. Zelfs dat ik dacht dat ik met Julia in haar slaapkleed. Maar zij begon over een tailleur die zij gezien had in de Innovation. Ik zeg: 'Meisje, wat gaat dat niet kosten?' Zij zegt: 'O, Richard, we leven maar één keer.' Ik zeg: 'Maar meisje, wat moet ge in Godsnaam met een tailleur?' 'Voor als ik in de stad loop,' zegt ze. Ik zeg: 'Maar meisje, wie kijkt er nu naar jou in de stad?' 'Het is waar,' zegt ze. En omdat dat waar is kreeg ik hoofdpijn en ik zoek in mijn tas, waar ik mijn pillen en aspirines in stop. Mijn tas van vroeger met mijn instrumenten die ik nooit van de hand heb willen doen. Zij ziet mij zoeken en zij zegt: 'Uw tas ligt onder 't bed, zij lag in de weg, ik zal haar voor u pakken.' En ik zeg: 'Pakken, ik ben het die u gaat pakken.' Zij begint te lachen. 'Gij?' zegt zij, 'dat zal ook op de voorpagina van de gazet staan!' En met mijn hoofdpijn en mijn koleire. Zij bedoelde het niet kwaad, Julia, het was zelfs bedoeld om mij te doen lachen. Maar ik ben niet voor lachen. En dan heb ik haar een duwtje gegeven.'

('Een duwtje?')

'Een duwtje. 'Au,' zei ze, 'ge doet me zeer.' 'Zeer, zeer, wat weet gij van zeer?' heb ik geroepen. Zij zei: 'Zoetje, ik weet het, maar ge moogt mij niet slaan.' Maar het was te laat. Mijn melk liep over. Al mijn koleire van die jaren. Geen koleire tegen haar, zeker niet tegen mijn zoetje, daar steek ik mijn hand voor in 't vuur. En dan heb ik haar een klop gegeven en nóg een en nóg een totdat ik niet meer kon en dan van mijn zelf gevallen ben. En nu meneer de commissaris, zou ik een beetje willen slapen als dat gepermitteerd is.'

('Maar toen je van jezelf gevallen bent, daarvóór bedoel ik, leefde zij nog?')

'Natuurlijk leefde zij nog.'

('Bloedde zij?')

'Natuurlijk bloedde zij.'